爬虫類

カメ・ヘビ・トカゲ・ワニ

長く健康に生きる餌やりガイド

食性と栄養のサイエンス

安川雄一郎【編著】
Yasukawa Yuichirou

Turtles, Snak
Feeding guide to liv
Science about food habi

グラフィック社

はじめに

　私が初めて飼育した爬虫類は、幼稚園児の時に祭りの夜店で買ってもらったクサガメだった。以来、50年近く様々な爬虫類を飼育して来た。その当時のカメの餌と言えば、乾燥イトミミズとアリ卵ペレットが定番で、私もそれらを与えていたが、なんとなくそれを与えているだけでは満足できず、カメの調子も今一つのように感じられた。
　現在の知識で考えれば、カルシウムやビタミンA等、明らかに栄養不足だったのであろう。小学生になり、他にも入手できる範囲で食べるものを与え、日光浴の回数を増やすと何となくカメの調子が上がるように感じた。それが嬉しくて、子供ながらに飼育に関する情報を集め、色々工夫してみるようになったのが筆者の爬虫類飼育の原点である。
　その後もクサガメ以外に、ミシシッピアカミミガメ、コロンビアクジャクガメ、ニホンカナヘビ、ヒガシニホントカゲ、オキナワキノボリトカゲ、パラグアイメガネカイマン、ヒガシヘルマンリクガメ、ミスジハコガメ等を飼育したが、中学生になって行動範囲も広がり、情報の収集能力も上がったことで、爬虫類飼育は本格化した。その為、私は飼育歴を聞かれた場合、その時点を起点に答えることにしている。

その後は主にカメと有尾類、怪魚と呼ばれる類いの熱帯魚の飼育にはまり、単なる飼育だけでなく爬虫両生類学や魚類学、さらに動物学、生物学へと関心が広がっていった。大学、大学院でカメの系統分類学の研究をし、現在は在野の爬虫類研究者として飼育雑誌等に寄稿している。今も私は爬虫類の一飼育者であったことを忘れてはいない。

爬虫類飼育において、餌というのは最も根本的な要素の１つである。私は食というもの自体にも関心が強かったため、動物を飼育する上で餌について考えることが多かった。私は一般の飼育者よりは情報を集めやすい立場であり、実際に情報を集めるために時間をかけたつもりだったが、特定の配合飼料を与えておけばいいという「常識」を疑い出すと、爬虫類の餌については正直判らないことばかりだった。情報を集めるたびに新たな疑問が出て来て、何が判らないかが明確化されて行き、さらに首をひねるという状況だったが、当時の私にとりそれが無性に楽しかった。

そうした餌の知識はそれでも少しずつ増えて行った。そして今回、これまでの知識をまとめて紹介する機会を得ることができた。本書で紹介する知識が、飼育者の方々のお役に立てば幸いである。

Contents

Reptiles
Turtles, Snakes, Lizards, Crocodiles
Feeding guide to live long and healthy
Science about food habits and nutrition

爬虫類の「餌」と「栄養素」

ヒトと同じように、爬虫類もまた「食べる」ことで身体を作っている。餌を食べさせる管理者として、「どの栄養素」が「どのように」彼らの健康と関係しているのかを知っておきたい。

三大栄養素

タンパク質

体内での主な役割・作用:筋肉、鱗、軟骨等の成分。酵素、ペプチドホルモンの原料
多く含む餌:動物性の餌、マメ科植物、クワの葉、モロヘイヤ

20種類のアミノ酸が複数ペプチド結合したポリペプチドが立体的な構造をとった炭素、酸素、窒素、水素、硫黄を含む高分子有機化合物。消化の過程でアミノ酸に分解され、吸収される。爬虫類の必須アミノ酸はイソロイシン、グリシン、スレオニン、トリプトファン、バリン、フェニルアラニン、メチオニン、リシン、ロイシンの9種とされている(種や分類群により異なる可能性が高いが詳細はまだ明らかになっていない)。他のアミノ酸はこれら9種から合成可能だが、アルギニン、ヒスチジン、システイン、チロシン等は要求量が多いために不足がちで、準必須アミノ酸と呼ばれる。アミノ酸は体内でタンパク質に再合成される。過剰なタンパク質は脱窒素後、エネルギー源として使用される。

脂質

体内での主な役割・作用:エネルギー源。貯蔵物質、細胞膜の原料
多く含む餌:脊椎動物、種子、アボカド

生物由来の有機物で、水に不溶で有機溶媒に溶け、脂肪酸ないし炭化水素鎖を含む。また、グリセリンに脂肪酸が結合してできる中性脂肪(単に脂肪とも呼ばれ、炭素と酸素と水素からなる)、蝋、セラミド等の単純脂肪、リンや糖を含む複合脂質、脂肪酸、ステロイド、カロテノイド等の誘導脂質を含む。飼育下の爬虫類では過剰となりやすく、肥満の原因となる。

糖質
体内での主な役割・作用:エネルギー源
多く含む餌:いも類、種子、果実、トマト、カボチャ、ニンジン

栄養学的に糖質と食物繊維を合わせたものが炭水化物と呼ばれる。ブドウ糖、果糖等の単糖類を構成成分とし、主に炭素、酸素、水素からなる。種子やいも類、根菜にはでんぷんとして貯蔵されている。植物食や雑食の爬虫類ではでんぷんでなく糖としての摂取が多い。動物食の種は糖質の摂取は少なく、エネルギー源は脂質とタンパク質中心である。過剰な糖質は脂肪に変換され、貯蔵される。単糖類の一部には生殖活動を活発化させる効果がある。

ビタミン

ビタミンA
体内での主な役割・作用:視覚の維持、上皮組織の保持、免疫作用
多く含む餌:脊椎動物(レバーに特に多い)、緑黄色野菜

視覚物質の原料となる他、視覚の維持、上皮の更新や安定、免疫作用にも関与する。植物中にはカロテン等の形で存在し、体内でビタミンAとなる。脂溶性で体外に排泄されにくく、大量に与えると過剰症となりやすい。

ビタミンB群
体内での主な役割・作用:酵素の働きを助ける補酵素の成分となる
多く含む餌:動物性の餌。一部は緑黄色野菜、豆類、卵

水溶性のビタミン群でビタミンB_1、ビタミンB_2、ナイアシン、ビタミンB_{12}、ビオチンは動物性食品やキノコに、葉酸は葉野菜に多い。またビタミンB_6、パンテトン酸は様々な動物質、植物質に含まれる。これらの多くは腸内細菌によって合成される。

ビタミンC
体内での主な役割・作用:骨やコラーゲンの生成。鉄吸収、抗酸化作用
多く含む餌:野菜、果実

水溶性ビタミンの1種でアスコルビン酸。爬虫類の多くは腎臓で必要量を合成可能とされている。

ビタミンD_3

体内での主な役割・作用:カルシウムの吸収や代謝に必須
多く含む餌:動物質の餌(魚に多い)。前駆物質はコレステロールから紫外線で合成

脂溶性のビタミンで大量に与えると過剰症となりやすい。体内でコレステロールが代謝を受けてプロビタミンD_3になると、これが皮膚上で紫外線の作用よりにプレビタミンD_3となる。そして、これが体内で時間経過により異性化しビタミンD_3ができる。この状態では活性は低く、まず肝臓でカルシジオールに変化し、さらに腎臓で活性型ビタミンD_3(カルシトリオール)に変化して体内で血液により運ばれて作用する。過剰のカルシジオールは非活性型となり、さらに水溶性のカルシトロン酸となって、尿中に排泄される。よく誤解されているように、ビタミンD_3は紫外線で活性化するのではなく、コレステロールからビタミンD_3が合成される過程に紫外線が関与している。その活性化は肝臓や腎臓での酵素反応が関与しており、肝臓や腎障害があれば活性化がうまく行かず、カルシウム代謝障害となる。魚類の肝臓にはビタミンD_3が多いが、その生成過程に紫外線は無関与で、肝臓での酵素反応のみで進行することが示唆されている。菌類に由来するビタミンD_2の爬虫類への影響は明らかになっていない。

その他の有機物

ω-3脂肪酸

体内での主な役割・作用:細胞膜の成分となる
多く含む餌:魚、オキアミ、葉野菜、種子
必須脂肪酸の一種で、動物性のドコサヘキサエン酸(DHA)、エイコサペンタエン酸(EPA)、植物性の*α*-リノレン酸(ALA)等を含む。

水溶性食物繊維

体内での主な役割・作用:血糖値上昇抑制、コレステロール吸収抑制、有用腸内細菌の活発化、肥満防止
多く含む餌:野菜、果物、海藻

不溶性食物繊維

体内での主な役割・作用:大腸運動の促進、有用腸内細菌の活発化、肥満防止
多く含む餌:節足動物、キノコ、酵母、根菜、野草、穀類、豆類

水溶性、不溶性ともに腸内細菌により分解され、単糖類やビタミンB群の材料となる。摂取量を増やすことで、有用腸内細菌の割合が高くなるとされている。

無機物

水

体内での主な役割・作用:体液の主成分、浸透圧や酸塩基平衡に関与。
多く含む餌:飲水により供給可能。葉野菜や果実に多く含まれる

体液として細胞の内部や、細胞外(血液、リンパ液、組織液等)に存在し、様々な成分を溶解させる溶媒として利用されている。環境によっては不足して脱水状態となることもある。

カルシウム(Ca)

体内での主な役割・作用:骨や歯の主要成分、筋収縮や細胞情報の伝達に関与
多く含む餌:脊椎動物、甲殻類、一部の昆虫、巻貝、小松菜、モロヘイヤ

骨や甲殻、貝殻等に多く、摂取のためには全体食として与える必要がある。正常な吸収と代謝にはリンとのバランスと、ビタミンD_3の摂取が重要。飼育下では不足しやすい。

リン(P)

体内での主な役割・作用:骨や歯の主要成分。リン脂質、核酸、ATP等の材料。
多く含む餌:動物性の餌に含まれる

爬虫類に適切なカルシウム:リン比率の目安は植物食の種で3〜4:1、動物食の種で1〜2:1前後とされており、雑食性の種であれば両者の間の値をとると経験則的に考えられている。適切な摂取にはビタミンD_3が必要。飼育下では過剰摂取になりやすい。

鉄(Fe)

体内での主な作用:血液中の赤血球の成分。
多く含む餌:脊椎動物、赤身肉、レバー、貝類、緑黄色野菜

赤血球中のヘモグロビンの成分。不足すると貧血となる。

ナトリウム(Na)・カリウム(K)

体内での主な役割・作用:体液の浸透圧調整や酸塩基平衡、神経伝達に関与
多く含む餌:Naは様々な餌に含まれ、Kは植物性の餌に多い

Naイオンは血液、リンパ液、組織液等の細胞外液に多く、Kイオンは細胞内液に多く存在し、能動的に濃度バランスが保たれている。

爬虫類の餌　1 動物質の餌

1 内温性脊椎動物

ネズミ類

主な栄養素:タンパク質、脂肪、カルシウム、リン、鉄、各種動物性ビタミン

与える際の注意点:冷凍品は早めに消費すること(家庭用冷凍庫では劣化が早い)。野生下では外温性脊椎動物(ヤモリ等)や無脊椎動物(昆虫等)を食べる種に多用すると、肥満や死亡の原因となりやすい。冷凍品は確実に解凍後、握って冷たい部分がないかを確認し、室温と同じ程度〜40℃程度まで暖めてから与える(特にピット器官のあるヘビ類)。またホッパー以上の活個体は飼育個体を襲う危険があるので、ケージ内に長時間放置しないこと。

アダルトマウス

その他:1マウス、2ラット、3モルモットが餌用の冷凍ネズミとして流通している(1〜3の順に流通量が多い)。冷凍に餌付けにくい個体用には活(生きたまま)の流通もある。産毛が生える前をピンキー(ピンク)、産毛が生え出してから開眼するまでをファジー、毛が生え揃い開眼してから性成熟までをホッパー、性成熟後をアダルト、繁殖終了後をリタイア(脂肪が特に多い)と呼ぶ。飼育個体のサイズに合わせて給餌するが、種や個体によっては毛が生えたネズミ類を嫌うもの、口ひげを嫌うもの、マウスの体色等でえり好みするものがいる。ホッパー以下はカルシウムが少ないが、リンよりも多く、消化にもよいため問題はない。

その他の哺乳類

主な栄養素:タンパク質、脂肪、カルシウム、リン、鉄、各種動物性ビタミン

与える際の注意点:主な注意点はネズミ類に準ずる。ピット器官のあるヘビへ給餌するケースが多いため、冷凍品は必ずしっかりと温めてから与えること。

その他:冷凍のイエウサギ、ブタの乳児等が大型ボア、ニシキヘビの餌として流通している。

イエウサギを食べるカーペットパイソン

ニワトリ

主な栄養素:タンパク質、脂肪、カルシウム、リン、鉄、各種動物性ビタミン

与える際の注意点:ネズミ類同様、冷凍品は早めに消費すること。また、冷凍品は確実に解凍できているかを給餌前に確認する。足の部分は消化がされにくいため、個体の糞や健康状態を確認する等した上、場合によっては切除してから与える。

その他:主に冷凍ヒヨコを利用するが、孵化直後を冷凍したものは化骨が悪く、リンの比率が高い一方でカルシ

ヒヨコ

ウムが少ないため(カルシウムが)吸収されにくく、単用は避ける。若鶏は大蛇、オオトカゲ、ワニ等にも利用できる。脂肪の少ない肉や筋胃(砂肝)等も動物食の爬虫類の餌に利用できるが、これらの「部分食」はカルシウムが少ないことなどから特に成長期の個体では常用を避けた方がよい。また頭や頸以外の骨付き肉は、捕食の際に割れた骨が刺さりやすい。給餌時にはこうした事故に注意する必要がある。

ウズラ

主な栄養素:タンパク質、脂肪、カルシウム、リン、鉄、各種動物性ビタミン

与える際の注意点:ニワトリでは大きすぎる飼育個体に給餌する。冷凍品は早めに消費、確実に解凍してから与える。足の部分は消化が悪いので場合により切除してから与える。

その他:主に冷凍の雛が利用されるが、孵化直後を冷凍したものはリンが多く、カルシウムが少ないため、カルシウムの吸収はよくない。雛は鳥を好むヘビやトカゲ、さらに動物食のカメに利用できるが、単用は避ける。また成鳥は鳥食性の強いヘビ(大型種)に向く。

鳥の卵

主な栄養素:タンパク質、脂肪、リン、ビタミンA、ビタミンB群

ウズラ卵

与える際の注意点:生で与える場合は新鮮であることを心がける。脂肪やリンが多く、栄養バランスがあまりよくないため、卵食性以外のヘビに多用しないこと。

その他:鶏卵とウズラ卵が流通している。ウズラ卵は卵食性のヘビ類のよい餌となる(小型種が多いためサイズが適当である)。またナメラ類等、中型以上のヘビ、大型のトカゲでは鶏卵を食べることがある。積極的に与える意味は少ないが、ゆで卵を含め餌のバリエーションとして使用することができる。卵黄はビタミンD_3を比較的多く含む。生の卵白はビオチンの吸収を阻害する成分を含むことから、生卵の過剰な給餌はビオチン不足のおそれがある。卵殻は内側の薄膜を取り除けば、カルシウム供給源としても有効。

2外温性脊椎動物

ヘビ類

主な栄養素:タンパク質、脂肪、カルシウム、リン、鉄、各種動物性ビタミン

メクラヘビ

与える際の注意点:寄生動物の感染源となることがある。WCの餌は駆虫をしてから与える。

その他:ヘビ食のヘビに生き餌、冷凍餌として使用する。ペット用、食用のものを購入できるが高価なため、採集に頼ることが多い。トカゲ類に餌づく種はヤモリ類等、ネズミ類に餌づく種はマウス等に餌付けて飼育できるケースもある。

トカゲ類

主な栄養素:タンパク質、脂肪、カルシウム、リン、鉄、各種動物性ビタミン

与える際の注意点:寄生動物の感染源の可能性がある。
その他:爬虫類食のヘビ、トカゲに活、冷凍を与える。東南アジア等から輸入されるナキヤモリ属（*Hemidactylus*）が流通している他、アメリカでは小型のアノール属（*Anolis*）も餌用に用いられることがある。採集の他、飼育下で餌用として繁殖することもできるが、センシング（106頁参照）によりマウス等に餌付けた方がよいケースもある。

ミナミヤモリ

カエル類（オタマジャクシ含む）

主な栄養素:タンパク質、脂肪、カルシウム、リン、鉄、各種動物性ビタミン
与える際の注意点:WC由来の餌では寄生動物に注意すること。
その他:アフリカツメガエル、アジアウキガエル等が餌用として販売されている他、他種のカエル類を採集して与える（「特定外来生物」に指定されているウシガエル、シロアゴガエル、オオヒキガエルはオタマジャクシを含め生きたままの輸送、ストック、飼育は違法となるので注意）。比較的消化がよく、カエル食のヘビは代謝が高い種が多い。そのためネズミ類より高頻度に給餌する必要がある。オタマジャクシは水棲ヘビの幼蛇や、一部の餌づきにくい水棲ガメの餌付けで非常に有効な場合がある。

アジアウキガエル

淡水魚

主な栄養素:タンパク質、脂肪、カルシウム、リン、鉄、各種動物性ビタミン
与える際の注意点:ビタミンB_1破壊酵素（サイアミナーゼ）を含み、心疾患や神経障害などが発生するケースもある。また、WC由来の餌個体では寄生動物に注意。
その他:和金や錦鯉、緋メダカ、グッピー、ドジョウ、各種の淡水魚が餌用（多くは生き餌、一部は冷凍）として販売されている。またワカサギ、アユ、ニジマス等、食用魚の一部が利用できる他、採集により入手する（カダヤシやブルーギル等特定外来種の生きたままの輸送、ストック、飼育は違法なため注意）。ビタミンB_1破壊酵素（サイアミナーゼ）は生の魚、特にその内臓に多く含まれる。加熱により失活するが、腸内細菌によっても合成され、冷凍魚や長く冷蔵した魚で多い傾向がある。金魚やコイ、冷凍ワカサギの単用は避けた方がよく、緋メダカやグッピー、ドジョウ等では問題が生じにくい傾向がある。昆虫や配合飼料等、ビタミンB_1を多く含む餌を併用することでサイアミナーゼの影響を軽減することができる。餌用金魚等以外を食べない個体では、注射やカプセルなどで金魚にビタミンB_1を添加するとよい。陸棲種、半水棲種のカメではビタミンB_1を含むサプリメントを餌や飲み水に加えるなど、陸上で与える方法もある。その他、餌用和金や食用の養殖淡水魚は脂肪過多の問題があるため単用は避けた方がよい。脂肪含有量の面では、餌用に販売されている天然川魚（活、冷凍）は問題が少ない。餌用金魚に高栄

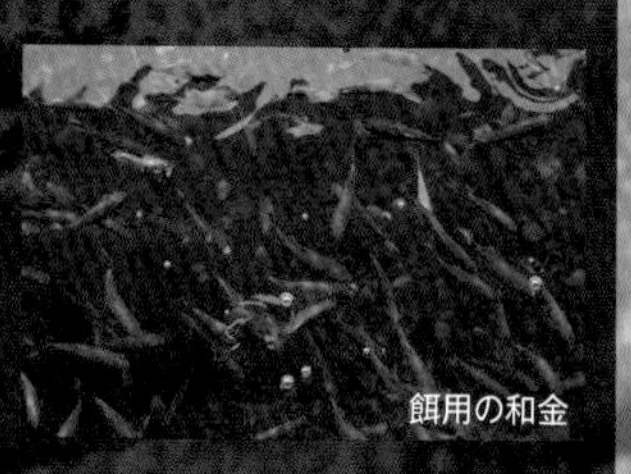
餌用の和金

養の餌を大量に与え太らせてから与える人もいるが、脂肪過多となるため、やめた方がよいだろう。給餌前の餌用金魚のケアとしてはグリーンウォーター中でしばらく飼うか、藻類主体の金魚用配合餌等を控え目に与えるとよい。

海水魚

キビナゴ

主な栄養素:タンパク質、脂肪、カルシウム、リン、鉄、各種動物性ビタミン
与える際の注意点:ビタミンB_1破壊酵素(サイアミナーゼ)の影響に注意。また塩分の過剰摂取に注意。
その他:小型で鮮度が高く、あまり脂ののっていない食用魚は、丸ごと水でよく洗った上で水棲爬虫類の餌に使用できる他、採集による入手もできる。淡水棲の爬虫類には本来、淡水魚をメインに与えることが望ましいが、ヒメヤスリヘビ*Acrochordus granulatus*等、汽水棲、海棲の水棲ヘビ類には淡水魚に餌づきにくいものも多いため、給餌を検討するとよいだろう。

3昆虫

コオロギ

フタホシコオロギ

主な栄養素:タンパク質、脂肪、リン、鉄、各種動物性ビタミン、不溶性食物繊維(キチン)
与える際の注意点:リンに対してカルシウムの含有量が少ないため、添加する必要がある。
その他:1フタホシコオロギ、2イエコオロギ、3タイワンエンマコオロギ、4カマドコオロギ等、通年繁殖可能な中大型種が養殖され、餌用に流通している(主に1～2が流通の主)。また熱帯アジア産の超大型種も冷凍での流通がある。活(生きたまま)、冷凍、乾燥、粉状、フレーク状等の製品がある。これらのコオロギは飼育下での繁殖も容易で、環境を整えれば大量に殖やすことができる。ただし不適な環境では数日で全滅することがあるため注意。一般的なコオロギの餌にはタンパク質過剰なものが多く、悪臭や過剰摂取による死亡の原因となりやすい。また、成虫の鳴き声がうるさい等の問題点もあるが、入手性や栄養バランスを考えると優秀な餌昆虫といえる。餌皿で給餌する場合には後肢を傷つけて自切させ、跳ねないようにすると飼育個体が食べやすくなる。

バッタ、イナゴ

バッタ

主な栄養素:タンパク質、脂肪、リン、鉄、各種動物性ビタミン、不溶性食物繊維(キチン)
与える際の注意点:リンに対してカルシウムの含有量が少ないため添加する。後肢は消化が悪い。
その他:コオロギ同様、昆虫を食べる爬虫類の餌として利用できる。欧米では養殖個体の流通がある他、国内でも乾燥、冷凍等の流通がある。夏場には野生個体の採集もできるが、寄生虫には注意する必要がある。

ゴキブリ

主な栄養素:タンパク質、脂肪、リン、鉄、各種動物性ビタミン、不溶性食物繊維(キチン)

与える際の注意点:リンに対してカルシウムの含有量が少なく添加の必要がある。また種によっては脱走しやすいため注意が必要。

餌用に飼育されるデュビア

その他:デュビア(アルゼンチンモリゴキブリ)やレッドローチ(トルキスタンゴキブリ)、マダガスカルオオゴキブリ、グリーンバナナゴキブリ等が流通しており、容易に養殖ができる。このうちデュビアの成虫はコオロギより大型で大型爬虫類に使いやすく、幼虫は中小型の種にも使用できる。また臭気が少ない他、壁も登らず、飛翔能力がない(雌は翅自体が未発達)点も扱いやすい。さらに胎生で共食いをせず、乾燥した環境でウサギの餌(初齢幼虫を含めふやかす必要はない)や野菜屑、昆虫ゼリー等を与えて累代繁殖ができる。レッドローチもふやかしたウサギの餌等で飼うことができ、雄成虫は翅があるため滑空するものの幼虫は飛ばない。またデュビアより小型で卵生(卵鞘を産む)、床材に潜らず壁も登らない点は優れている。さらにデュビアと異なり、卵鞘を回収すれば若齢幼虫を確保しやすい。デメリットとしては動きがかなり速く脱走されやすい上(デュビアと異なり家内に定着するおそれがある)、虫自体に独特の臭気があることだ。また雌成虫の尾肢から分泌する粘液を嫌う爬虫類もいる。マダガスカルオオゴキブリはデュビアより大型で、壁面を登る点は厄介だが、同様の方法で飼育ができる。グリーンバナナゴキブリは胎生で、やや湿った環境を好む。腐葉土等を敷き、霧吹きで散水をして飼育する。幼虫は腐葉土の中に潜っていることが多いが、成虫は土に潜らず飛翔性があるため、樹上棲トカゲの餌として優秀。

ミルワーム類

主な栄養素:タンパク質、脂肪、リン、各種動物性ビタミン、不溶性食物繊維(キチン)

与える際の注意点:カルシウムがリンに対して少ないため補う必要がある。また水に濡れると死亡しやすいので注意。

ミールワーム

その他:大型のジャイアントミルワーム(ツヤケシオオゴミムシダマシの幼虫)、中型のミルワーム(チャイロコメノゴミムシダマシの幼虫)、小型のバッファローワーム(ガイマイゴミムシダマシの幼虫)とコクヌストモドキの幼虫等のゴミムシダマシ類の幼虫が流通している。これらは餌兼用の「ふすま」や「ぬか」で飼育するか、ヤシ殻土や甲虫マットを敷き、穀類または鶏用の配合飼料、野菜屑等を餌に繁殖させることができる(ジャイアントミルワームは蛹化させるために単独飼育が必要となる)。爬虫類の嗜好性は高いが、成虫は悪臭を出し、外殻が固く消化も悪い。特に体温(外気温)が低い際には消化が悪いため与えない方がよい。ジャイアントミルワームは餌皿から逃げ出しやすく、床材等にすぐもぐり込むため食べられにくい。性格も攻撃的でありピンセットによる給餌となる。それ以外のミルワーム類は餌やカルシウム剤等とともに餌皿に入れ、置き餌として与えるとよいだろう。

カイコガ

シルクワーム

主な栄養素:タンパク質、リン、鉄、カルシウム、各種動物性ビタミン、不溶性食物繊維(キチン)
与える際の注意点:ストック時は高温を避けること。
その他:クワの葉、またはそれを主原料とする配合飼料で飼育・繁殖ができる。流通しているのは主に別品種同士を掛け合わせた一代交雑種で、累代繁殖は難しい。幼虫(カイコ)は「シルクワーム」の名で流通している。すでに野生化はできないほどに家畜化され、野外に逸出しても定着能力はない。水分が多く消化がよい他、タンパク質に対し脂質が少なく、カルシウムが多いとされる。乾燥重量の値に基づきコオロギ等より栄養価が高いとも言われるが、生時の値ではタンパク質量、脂質量は少なく、ビタミンやミネラルの量も突出して多いとは言えず、むしろ脱水防止やダイエット向けの餌だと言える。成虫は樹上棲の爬虫類に餌として利用できる他、釣り餌や食用等として流通する蛹(製糸用に繭を除いた蛹)は昆虫食の爬虫類のよい餌となる。

ワックスモス(ハチノスツヅリガ)

ワニーワーム

主な栄養素:脂肪、タンパク質、リン、各種動物性ビタミン、不溶性食物繊維(キチン)
与える際の注意点:栄養価を考えると単食には向かない。また偏食の原因となりやすい。
その他:ミツバチの巣に産卵し、幼虫がその巣を食害する蛾の一種で、芋虫状の幼虫がハニーワームとして流通している。ハニーワームは動きが速く、嗜好性が高いが、脂肪がかなり多い一方でビタミンAが少ない。また脱走しやすく、布や革製品、紙、樹脂等に穴を開けることがある(ポリエチレン等を消化できる)。この種は実験動物化されており、専用の飼料があるが、一般では入手が難しい。しかし蜂蜜を重量比で4〜5倍前後のふすまに混ぜたものにより、最低限の飼育・繁殖が可能である。また蜂蜜は加糖蜂蜜や転化糖(濃い砂糖水を酢やレモン汁等の酸を加えて熱し、加水分解して作る)に変えてもよい。本格的に殖やそうという場合には、❶蜂蜜の1/3程度をグリセリンに換え(マヨネーズでも代用可)、❷ふすまを減らして小麦の全粒粉かコーンミールとし、❸小麦胚芽、脱脂粉乳、ビール酵母、青汁の粉末または大麦若葉の粉末、炭酸カルシウム粉末等を加えて栄養強化した餌を使用するとよいだろう。これにより繁殖効率や幼虫サイズが改善し、栄養価も多少改善する。ハニーワーム用の餌は発酵を防ぐため、冷蔵庫等で低温保存すること。なおハニーワームは発熱するので、蓋に穴を開け細かな金属メッシュを貼って通風を確保した食品保存容器等で飼育する。こうした容器に複数の成虫を入れ、上記の配合飼料を設置すれば産卵し(壁面にも産むが産卵場所としては折り畳んだコピー用紙を好む)、孵化幼虫(1-2mm程度)は孵化後速やかに餌に移動する。餌が糞に変わったら新しい餌の塊を入れるとそちらに移動する。終齢幼虫は餌や糞中に繭を作り蛹化する。成虫は餌を摂らないが、樹上棲のトカゲ等の餌として利用できる。なお、市販の幼虫にはホルモン剤で蛹化しないようにしたものもある。

アメリカミズアブ

主な栄養素:タンパク質、脂肪、カルシウム、リン、鉄、各種動物性ビタミン、不溶性食物繊維(キチン)
与える際の注意点:外殻がやや硬く消化にはホットスポットが必要。成虫は脱走注意。
その他:幼虫は「フェニックスワーム」等の商品名で販売されている。腐植を好み、コンポスト等で殖やすことができる。餌には腐植の他に野菜屑等を与え、やや湿った環境で養殖する。昆虫類では例外的に外殻にカルシウムを沈着するため、高カルシウムの餌昆虫として利用される。アメリカからの外来種で、国内で定着している地域がある。

フェニックスワーム

その他の昆虫

主な栄養素:タンパク質、脂肪、リン、各種動物性ビタミン、不溶性食物繊維(キチン)
与える際の注意点:種により異なる。詳細は「その他」の項を参照。
その他:ユスリカの幼虫の「赤虫」は生き餌、冷凍(ビタミン類を添加した製品あり)、乾燥等として流通し、水棲、半水棲カメ類の餌として利用できる。トンボ、カゲロウ、トビケラ、カワゲラの幼虫等の水生昆虫は拒食中、偏食中の水棲、半水棲カメ類に非常に有効である。小型カエル類の餌用に流通しているキイロショウジョウバエの無翅型、トリニドショウジョウバエの非飛翔型は専用の培地や繁殖器具とともに流通し、小型の地上棲トカゲ類等の餌として利用できる。またドライイースト等で飼育できるトビムシ類も同様の使い方ができる。アブラムシの仲間も植物上で無性生殖により殖えるため、欧米等では樹上棲の小型トカゲ等の餌に使用されている。シロアリやアリもコロニーを維持することで餌として有効である。特にアリ類の一部はペット用として流通があり、飼育・繁殖方法が確立されていること等からも餌として利用しやすい。これらに嗜好性が高い、あるいはこれらを専食するトカゲ類は多い。ツムギアリ等は冷凍で、卵や蛹、働きアリや女王アリの流通がある。大型の芋虫であるスズメガの幼虫は中型以上のトカゲの嗜好性が高く、アメリカではタバコスズメガの幼虫が流通しているが、植物防疫法の規制対象で国内への導入はできない。国内に分布する近縁のエビガラスズメ等はかつて実験動物化の研究が行われたことがあり、配合飼料の開発や繁殖方法が確立すれば餌としての需要があるかもしれない。シバンムシ、コクゾウムシ、マメゾウムシ等、穀類や豆類等で飼育できる小型甲虫も餌として利用できるが、様々な乾燥食品や穀類、豆類等を食害するので注意する必要がある。この他にも近年、大型のタケメイガの幼虫、セミ、ケラ、コフキコガネ、ガムシ、タガメ等外国産の昆虫が冷凍餌として流通している。寄生虫の問題はあるものの、これら餌となる昆虫は野外での採集でも入手ができる。

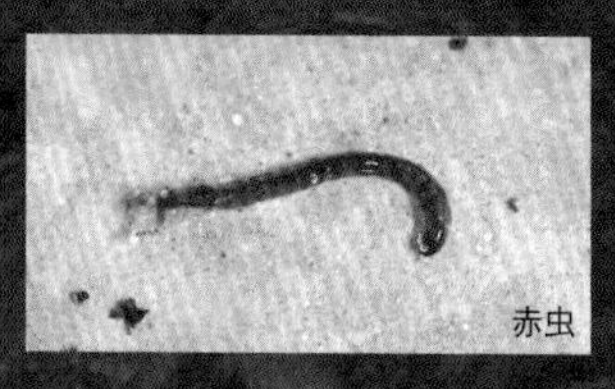
赤虫

4甲殻類

アメリカザリガニ

主な栄養素:タンパク質、カルシウム、リン、各種動物性ビタミン、不溶性食物繊維(キチン)

与える際の注意点:大型の個体では飼育個体に反撃することがある。
その他:成体は動物食性の強い水棲のカメやワニ、半水棲のオオトカゲや一部の水棲ヘビ等が好む。また、幼体は小型のカメにも与えることができる。生き餌として流通し、野外での採集もできるが、寄生虫等の心配もある。冷凍品が流通しているので、これを使うとよいだろう。飼育下での繁殖やストックも難しくない。消化が良くない点や、反撃するなどして飼育個体が食べにくいことへの対策には、はさみや脚を除去してから与えるとよいだろう。

アメリカザリガニ

淡水エビ

主な栄養素:タンパク質、カルシウム、リン、各種動物性ビタミン、不溶性食物繊維(キチン)
与える際の注意点:大型種では爬虫類に反撃することがある。また一部は高温に弱い。
その他:観賞魚用の餌やペット用として流通している他、在来種は野外で採集することもできる。水ガメやワニ、半水棲のトカゲ、一部の水棲ヘビ等の嗜好性が高い。飼育下で繁殖することができる種も多く、比較的ストックも容易だが、餌にするほど殖やすことは難しいケースが少なくない。なお、乾燥品も餌用等として販売されている。

テナガエビ

アミ、オキアミ

主な栄養素:タンパク質、カルシウム、リン、各種動物性ビタミン、不溶性食物繊維(キチン)
与える際の注意点:製品によっては塩分が多く、単用は避けた方がよいだろう。
その他:乾燥(煮干し、フリーズドライを含む)や冷凍の製品が流通するが、例外的にイサザアミは生きた状態での販売もある。嗜好性が高く、補食として使用することが多い。

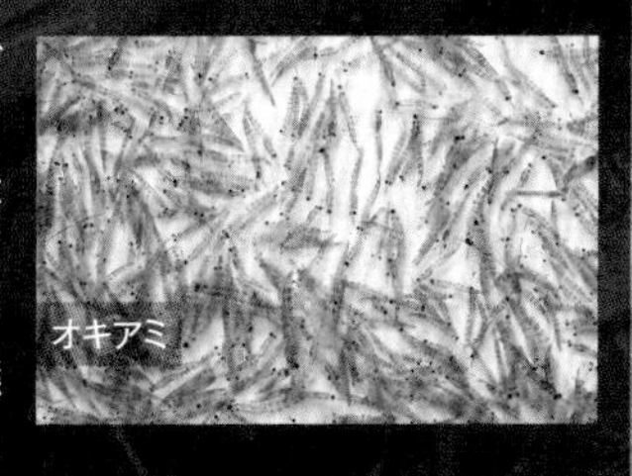
オキアミ

ワラジムシ類(ダンゴムシ、ヒメフナムシを含む)

主な栄養素:タンパク質、カルシウム、リン、各種動物性ビタミン、不溶性食物繊維(キチン)
与える際の注意点:乾燥に弱い他、増殖のためには密度を高める必要がある。
その他:陸棲の甲殻類(等脚目)で、甲殻にカルシウムを含む。腐葉土に細かく砕いたカキ殻等を加え、観賞魚用のフレークフード等を与えることで繁殖ができる。オカダンゴムシやワラジムシ、ホソワラジムシ等外来種も多く、農業害虫となる可能性があるため外国産種は一部輸入規制があるが、在来種や既に定着した種もおり、これらが餌として流通している(同定が難しい種も多い)。

ホソワラジムシ

その他の甲殻類、節足動物

主な栄養素:タンパク質、カルシウム、リン、各種動物性ビタミン、不溶性食物繊維(キチン)

与える際の注意点:種により異なる。詳細は「その他」の項を参照。

ヨコエビの1種

その他:食用の海産エビ類は殻付き、むきエビとも水棲のカメ類が好むが、水でよく洗い、可能な限り全体食で与えること。また食用のサワガニ、採集可能なアカテガニやクロベンケイガニは大型の水棲、半水棲のカメや半水棲のオオトカゲ、ワニ等の嗜好性が高いが、寄生虫の危険性がある。淡水棲ヨコエビ類はフリーズドライにされたものが水ガメのカルシウム補給用に流通している他、欧州ではワニの孵化後間もない幼体等に使用されることもある。近縁のハマトビムシ類は海浜棲や森林棲の陸棲種で、ワラジムシ類等と同様に使用できるものと思われる。その他、小型のムカデ類やヤスデ類は土壌動物食の爬虫類に好まれる場合がある。なお、一部のヘビ類やトカゲ類は大型のムカデやサソリを好むが飼育下での安定的な入手、給餌は難しい(冷凍ムカデはアジアアロワナの餌として流通する)。ブラインシュリンプ幼体、ブラインシュリンプ成体、ミジンコ、ケンミジンコ、ワムシ(ワムシは節足動物ではないが)等を冷凍しキューブ状に固めたものは観賞魚用の餌として流通している。

5貝類

カタツムリ、ナメクジ

主な栄養素:タンパク質、カルシウム、リン、各種動物性ビタミン

与える際の注意点:寄生虫の感染源となる場合がある。また粘液でケージ内を汚すことがあり、この粘液を嫌うヘビもいる。

その他:ヘビ類の一部にはこれらを専食する種がいる。またトカゲやカメ類の一部にも好む種は多い。

イッシキマイマイ

淡水巻貝

主な栄養素:タンパク質、カルシウム、リン、各種動物性ビタミン

与える際の注意点:貝類食の爬虫類以外には専食させない方がよい。

その他:スクミリンゴガイ(アップルスネール)、ホルンスネイル、インドラムズホーン、サカマキガイ、タイワンカワニナ、タニシ類、モノアラガイ等が生き餌として利用できる。スクミリンゴガイ、ホルンスネイル、インドラムズホーン、サカマキガイ、タイワンカワニナ等は保温したアクアリウムでの通年の繁殖ができる。また、比較的大型になるスクミリンゴガイのアルビノ(ゴールデンアップルスネイル)やホルンスネイルは熱帯魚店等で流通している。大きめの水槽にスポンジフィルター等を設置し、25〜30℃程度に水温を保ち、葉野菜や水草、錦鯉

スクミリンゴガイ

の餌等のカルシウムを含む餌を与えて、週に一度、半分程度の部分換水を続ければ殖やすことができる。ホルンスネイルは水中の壁面等に産卵するが、ゴールデンアップルスネイルは水上に産卵するので、水位は水槽の高さの7割程度までとし、水上の壁面を産卵場所とさせる。タニシ類やモノアラガイは水槽内で殖やすことができるものの、繁殖速度は遅い。タニシ類は食用としての流通がある。また、ヒメタニシ等は冷凍で餌用に販売されている。

その他の貝類

主な栄養素:タンパク質、カルシウム、リン、各種動物性ビタミン

与える際の注意点:種により異なる。詳細は「その他」の項を参照。

その他:淡水棲や汽水性のシジミ、海産のアサリやハマグリ等は食用に流通しており、水棲の爬虫類の餌として利用できる。種によってはシジミやアサリの貝殻を破砕して食べることができるが、これができない種や幼体に対してはむき身として与えるとよい。またカキもむき身で与えると、拒食中の水ガメ等が反応することがある。以前にこの方法で輸入直後から拒食し、非常に痩せた成体のギアナカエルガメ*Phrynops nasutus*を回復させたことがある。淡水棲巻貝が入手できない場合には、食用の小型巻貝類を与えてもよい。

ヤマトシジミ

6その他の無脊椎動物

ミミズ

主な栄養素:タンパク質、カルシウム、リン、各種動物性ビタミン

与える際の注意点:ツリミミズ科よりフトミミズ科に嗜好性が高いケースが多い。

その他:ヘビ類の一部はミミズを専食している。入手しやすいのは釣り餌用に養殖されているツリミミズ科のシマミミズやアカミミズだが、ミミズ食のヘビ類の多くはこれを好まず、フトミミズ科の種(ドバミミズ等と呼ばれる)を好むことが多い。地中棲のトカゲ、ミミズトカゲもツリミミズ科よりフトミミズ科の種を好む種が多いようだ。なお雑食、動物食のカメ類はどちらのミミズも食べることが多い。

ドバミミズ

イトミミズ

主な栄養素:タンパク質、カルシウム、リン、鉄、各種動物性ビタミン

与える際の注意点:嗜好性は高いが、単食は避けた方がよい。

その他:イトミミズは古くは観賞魚用の生き餌として流通、普及していたが、現在は流通量が激減している。乾燥や冷凍(一部はビタミン等が添加されている)したものが主に流通し、水ガメの幼体や小型種の餌として利用できる。

イトミミズ

爬虫類の餌　2 植物質の餌

1野菜、果物、キノコ

爬虫類に与えるとよい葉野菜の条件は、カルシウムが多くカルシウム:リン比が高い(2:1以上)、シュウ酸や甲状腺腫瘍誘発物質が少ない、硝酸塩が少ないことである。

アブラナ科の野菜

小松菜

主な栄養素:ビタミンA、ビタミンC、カルシウム、鉄、不溶性食物繊維(セルロース)
与える際の注意点:刻んだ状態で水にさらさないこと(ビタミンCが水に溶失する)。市販品は水分が多く食物繊維がやや少ない。
その他:アブラナ属の小松菜、青梗菜、パクチョイ、水菜や別属の大根の葉(大根菜)、ルッコラ、それらのスプラウト(つまみ菜として流通)がよい餌となる。他に流通時期は限られるが、カブの葉、タアサイ、サントウサイ、壬生菜、高菜、野沢菜も餌として利用できる。その他アブラナやカラシナも良いが、入手しやすいキャベツ類、白菜は水分補給の食材として使う方が良いだろう。ブロッコリーやカリフラワーはカルシウムに対しリンの含有量が多く餌には向かない(スプラウトやベビーリーフは使用できる)。またシュウ酸や甲状腺腫瘍誘発物質(ゴイトロゲン)の多い芽キャベツは与えないほうがよい。ゴイトロゲンとなるグルコシノレート(からし油配糖体)はアブラナ科の植物に多く含まれるもので、苦みの原因である。また植物体が傷つくとグルコシノレートはイソチオシアン酸アリル(からし油)に変化し、辛味成分となる。芽キャベツ以外の植物ではグルコシノレートの影響はほぼないと思われる。ただし、アブラナ科の植物を刻んだ状態で長く放置すると、イソチオシアン酸アリルが増加し、辛みを増す可能性があるので注意が必要だ。

アブラナ科以外の葉野菜

モロヘイヤ

主な栄養素:ビタミンA、ビタミンC、カルシウム、鉄、不溶性食物繊維(セルロース)
与える際の注意点:アブラナ科と同じく刻んだ状態で水にさらさないこと(ビタミンCが消失するため)。
その他:アブラナ科以外ではアオイ科のモロヘイヤ、キク科の春菊、エンダイブ、チコリ、レタス類、シソ科のバジル、シソ、セリ科のアシタバ、ニンジン葉、ツルムラサキ科のツルムラサキ、ナス科の葉唐辛子、ヒルガオ科のよう菜(空芯菜)等が餌として良いだろう。(一部は季節性、地域性がある)。レタス類は嗜好性が高いが、レタス(クリスプヘッド型)やロメインレタスは水分補給用と考えるべきで(特に水耕栽培品)、サラダ菜やリーフレタス、サニーレタスの方が栄養価は高い。また豆類やソバ、ヒマワリ、アルファルファ、トウモロコシ、麦類等のベビーリーフやスプラウトも市販品や自家栽培品を餌として利用できる。一方でアカザ科のホウレンソウやフダンソウはシュウ酸が多く、餌には不向きである。なお、保存用の乾燥野菜も餌として利用できる。

その他の野菜

オクラ

主な栄養素:ビタミンA、ビタミンC、糖、食物繊維(一部はタンパク質)

与える際の注意点:野生下で草本や木の葉を食べる爬虫類に対しては少量とし、それ以外の植物を食べるカメやトカゲにも主食としては使用しない方が良い。

その他:アオイ科のオクラ、ウリ科のカボチャ、キュウリ、セリ科のニンジン、ナス科のトマト、カラーピーマン、マメ科の豆苗、サヤインゲン、サヤエンドウ、枝豆、トウモロコシ等の野菜や豆類、およびアオイ科のウスベニアオイ、トロロアオイ、アブラナ科のアブラナ、オオバコ科の金魚草、キク科の菊、スミレ科のパンジー、モクレン科のモクレン等のエディブルフラワーなどが利用できる。これらは主食向きではないが、草本や木の葉以外の植物質を食べるカメ、トカゲの餌として使用できる。また草本や木の葉を主に食べるカメに与える場合は少量に限ること。グリーンピースやニンジン、コーンの冷凍ミックスベジタブルも餌として利用できる。

果実類

アセロラ

主な栄養素:ビタミンA、ビタミンC、糖、水溶性食物繊維

与える際の注意点:メインの餌として使用することは避ける。また、肥満傾向の個体へは与えない方がよい。

その他:アセロラ、イチゴ、イチジク、温州みかんやオレンジ等のかんきつ類、柿、キイチゴ、キウイ、桑の実、バナナ、パパイア、ブルーベリー、マンゴー、ヤマモモ、リンゴ等を餌として与える。雑食や植物食のカメ類やトカゲ類の嗜好性が高いが、多くの種でカロリーが高いため、量を控え目にすること。

キノコ類

アラゲキクラゲ

主な栄養素:タンパク質、糖、不溶性食物繊維

与える際の注意点:インプレッサムツアシガメ以外は主食としない。

その他:市販されているキノコ類ではキクラゲ科のキクラゲ、アラゲキクラゲ、シメジ科のブナシメジ、タマバリタケ科のエノキタケ、トンビマイタケ科の舞茸、ハラタケ科の椎茸、マッシュルーム(ツクリタケ)、ヒラタケ科のヒラタケ、エリンギ、タモギタケ、モエギタケ科のナメコが餌として使える。インプレッサムツアシガメはヒラタケ科、キクラゲ科、シメジ科を好む。これら3科のキノコ類は雑食傾向のあるリクガメ科、陸棲のヌマガメ科やイシガメ科にも与えれば食べる(必須の餌とはいえない)。キノコ類はビタミンD_2の前駆物質プロビタミンD_2(エルゴステロール)を含み、これは皮膚が紫外線を受けるとビタミンD_2に変化する。冷凍保存が可能で乾燥品もあるが、一度茹でたものは餌には向かない。

2栽培植物
餌として利用できる水草

オオカナダモ

主な栄養素:ビタミンA、ビタミンC、食物繊維
与える際の注意点:栄養価不明の種が多いので、配合飼料等と併用して与えること。
解説:アカバナ科のチョウジタデ属、アリノトウグサ科のフサモ類、キツネノマゴ科のハイグロフィラ類、サトイモ科のアヌビアス類、アオウキクサ、トチカガミ科のオオカナダモ、コカナダモ、クロモ、ハゴロモモ科のカボンバ、マツモ科のマツモ、ミズアオイ科のホテイアオイ等は水草を好む水棲のカメに利用できる。これらの水草は栽培が容易で、水棲の他、半水棲のカメの嗜好性が高い。

園芸植物、牧草

ネズミムギ

主な栄養素:ビタミンA、ビタミンC、食物繊維
与える際の注意点:栄養価不明の種が多いので単用しないこと。
その他:アオイ科のハイビスカス、イネ科のチモシー、ネズミムギ(イタリアンライグラス)、ススキノキ科のアロエ属、ハオルチア属(*Haworthia*)、クワ科のクワ、サトイモ科のポトス、サボテン科のウチワサボテン、スベリヒユ科のポーチュラカ(マツバボタンを含む)、ツルナ科のマツバギク、耐寒性マツバギク、ベンケイソウ科のベンケイソウ類、マンネングサ属(*Sedum*)、マメ科のレンゲソウ、ムラサキウマゴヤシ(アルファルファ)、シャジクソウ属(クローバーやその近縁種)等を利用できる。

3野草

カキネガラシ

主な栄養素:ビタミンA、ビタミンC、食物繊維
与える際の注意点:野草も栄養価不明の種が多く、単用しない方がよい。
その他:アブラナ科のアブラナ、セイヨウアブラナ、カキネガラシ、タネツケバナ、ナズナとその近縁種、ハマダイコン、イネ科のエノコログサ、コバンソウ、スズメノカタビラ、ウリ科のアレチウリ、オオバコ科のオオバコ、ヘラオオバコ、キク科のオニタビラコ、タンポポ類、ジシバリ、チチコグサモドキ、ノアザミ、ノゲシ類、ハハコグサ、ハルジオン、ヒメジョオン、ヨモギ、リュウゼツサイ、ゴマノハグサ科のイヌノフグリ、オオイヌノフグリ、シソ科のオニタビラコ、ヒメオドリコソウ、ホトケノザ、スベリヒユ科のスベリヒユ、ツユクサ科のツユクサ類、ナデシコ科のハコベ類、バラ科のヘビイチゴ、ブドウ科のヤブガラシ、ベンケイソウ科のツルマンネングサ、マメ科のカラスノエンドウ、クズ等が利用できる。これらのうちには冷凍や乾燥品、種や種付き栽培キットの流通があるものもある。

爬虫類の餌　3 水分補給と温度、湿度調整

タイワンタカチホヘビ
Achalinus formosanus

爬虫類飼育において、重要な作業となるのが水分の補給である。彼らは比較的絶食に強い動物で、野生下では冬眠や夏眠による数カ月の絶食を行う。雨季や餌動物の産卵期の集中的な採餌期間以外はほとんど餌を摂らないケースもある。また、飼育下でも1年近く絶食し、その後回復して餌を食べ始めたという事例もある。

しかし、こうした事例でも(冬眠や夏眠といった休眠時は例外だが)水分が摂取可能な状態は保たれなければならない。休眠中を除き、水分摂取ができなければ1日ともたずに死亡することさえありうる。特に乾燥に弱い上に小型な種、例えばタカチホヘビ属(*Achalinus*)等は水切れに弱く、成体よりも幼体でその傾向が強い。

ただし飼育種の中でも水分補給に気を使う必要がないのは半水棲、水棲種である。彼らの飼育ではケージ内に水場を設置するため、その水を飲んでいる。とはいえ、その水が大きく適温を外れている、あるいは汚濁しているといった場合には水が飲めずに脱水状態となることもあることは覚えておかなくてはならない。

自発的に水入れから水を飲む種も水分補給については比較的気を使わずに済む種だと言えるだろう。彼らは新鮮な水があり、接近が容易なら自発的に水を飲む。ただし、地中棲、半地中棲の種では視力が弱いものが多く、さらに立体的に動き回ることは少ないため、水入れの縁が高い位置にあると認識できない可能性がある。こうした危険を避けるためには、水入れを床材に埋め込み、その縁が床材の表面よりぎりぎり上に来るようにするとよいだろう。また水入れ内での溺死を避けるため、水深は浅く、縁が垂直に近い角度やオーバーハングにならないように注意する。

ホームセオレガメ *Kinixys homeana*

給水に気を使うべき爬虫類には3つのタイプがある。1つ目はホームセオレガメ*Kinixys homeana*のように「溜り水」を嫌い、主に雨水等、混じり気の少ない水を飲む種である。彼らは水の臭いにかなり敏感で、水道水や汲んでから時間の経過した水だと飲水しない個体もいる。そうした個体でも蒸留水や雨水、硬度が低めのミネラルウォーター等に変えてやれば、すぐに水を飲むことがある。また彼らは野生下でも、落ち葉等に溜った降雨直後の雨水を好んで飲んでいる。その他、甲上に水を散水すると、甲を伝ったものを前肢で受けて飲む行動が観察された事例もある。ただし、蒸留水や雨水ではこうした行動が見られるものの、水道水ではこうした方法で水を飲まない個体もいる。

小型のトカゲ類、特に夜露や朝露を好んで舐める小型の地上棲や樹上棲のトカゲは、ホームセオレガメと同様に、純粋な水分を好む傾向がある。しかし、飼育下では霧吹きで散水した水滴等を舐める他、水入れからも水を飲む種は少なくない。注意点として、水入れ内の水は一見きれいに見えても時間の経過によりほこりや不純物が混入するため、定期的に容器を洗浄するとともに、中身を新鮮な水に入れ替えなくてはならない。

給水に気を使うべき2つ目のタイプは流水や動きのある水を好む種である。例えば、ホームセオレガメと同属のモリセオレガメ*K. erosa*は甲から雨水を飲む行動はせず、水道水も飲むが、水入れに入れただけでは反応が悪い。しかし、水道水を流したままのシンク内に入れると、水の落ちる部分にやって来て飲水しようとする。これを見ても、この種は流水からの飲水を好むことがわかる。こうした生態を利用し、大きめの水入れに新鮮な水を入れ、強めのエアレーションで水流を付けると水を飲むケースが多い。また温浴させる場合も、「溜め水」よりも湯沸かし器等からの水流を利用するとよいだろう。

流水を好むタイプは樹上棲のヘビ、トカゲに多い。樹上棲の種には薄明薄暮型や夜行性種を中心に、夜露や朝露の水滴（すなわち「動かない水」）に反応する種もいるが、昼行性種では降雨時に木の葉や枝を伝わる雨水の流れに反応して水を飲むことが多い。特にWC個体にドリップ式の給水を行う際、飼育初期に盛大に水を流して（ただし排水に留意する必要がある）取り敢えず水を飲ませることが重要である。一度飲水について学習すれば、水量が少なくても反応するようになるし、ドリップ式ではなく樹上に設置した水入れにエアレーションした状態でも水を飲んでくれることがある。

パンケーキリクガメ
Malacochersus tornieri

給水に配慮が必要な3つ目はほとんど飲水せず、もっぱら食物から水分をとる種である。特に保水力のない乾燥地に生息する爬虫類にこのタイプが多い。例えばリクガメ科のパンケーキガメやヒラセリクガメ類等の他、乾燥地に住む地上棲や地中棲のトカゲやヘビがこれに当たる。リクガメ科の場合、通常の餌以外に水分補給のために積極的に多肉植物等、水の多い植物を与える必要がある。また朝露や夜露のついた植物を食べて水分を補うことがあるので、朝に餌に霧吹きしてから与えるのも効果的である。乾燥地のトカゲの場合は、食物からの摂取と同時に体に結露する水滴から水分補給するケースもあるので、こうした野生下の状態を再現するため、霧吹きで水をかけてやる必要がある。

また乾燥地に住む種では、「非活動時にどれだけ水分を失わないか」も重要となる。例えば外界が非常に高温で乾燥していても、シェルター内は湿って低温であれば水分の喪失が抑えられ、少ない水分摂取でも耐えることができるだろう。こうしたことを考えれば、内部が湿ったシェルターを設置することが重要である。それでも水分不足ということであれば、状態に応じてスポイト等で適宜給水する必要がある。

このように、飼育下における爬虫類の水分代謝の健全な維持には、飼育環境内の温度や湿度の調整も重要な鍵となる。爬虫類は種や亜種、個体群によって要求する温度や湿度が異なるため、個々の種に対し詳しく環境的な要求を調べ、それを満たさなくてはならない。

国内のリクガメ飼育では現在、高頻度に温浴を行い、ケージ外で排便させる方法が主流とされているが、これは本来、輸入時の長時間移動の間に失われた水分を手早く補給するための方法である。確かに脱水からの回復は必須だが、普段から飲水が少ない種で頻繁に温浴を行えば腎臓に負担をかけることになる。また、通常の排泄より短時間内で（消化管の強制運動により）排便するため、大腸内での吸収や、腸内細菌による分解や発酵の過程が不充分であることも懸

インドホシガメ
Geochelone elegans

念される。言い換えれば、ミネラルの一部や腸内細菌によって合成されるべきビタミンB群の一部等が吸収出来ない可能性がある、ということだ。温浴は水分補給や脱水予防への対処であることに違いはないが、脱水の原因となる飼育環境を改善せず、対処療法のような処置ばかりに腐心すれば満足な飼育は難しいことだろう。

一例として、乾燥気味のサバンナ気候域や熱帯モンスーン気候域に分布し、雨季はかなり降雨があり多湿になるが、乾季はかなり乾燥する環境に生息するインドホシガメ*Geochelone elegans*について考えてみる。

この種は乾季と雨季が明白な環境に生息し、本来粗食である。成体は雨季中に産卵し、乾季を卵内でやり過ごし、孵化幼体は次の雨季（年2回雨季があり、最初の雨季の降雨が少なければ次の次の雨季）に地上に現れる。孵化幼体はその雨季の間に可能な限り成長し、次の乾季を乗り越えられるサイズまで成長する必要がある。当然、孵化直後の幼体は高湿度を必要とし、たくさん餌を食べさせて成長させなければならない。また、こうした環境で暮らしていることを考えると、雨季と乾季の周期的な変化や、それに伴う食性の変化が刺激となり、繁殖サイクルや活動サイクルが変動するのではないかといったことも推測される。

WCの孵化幼体は雨季に地上に現れてすぐに採集され（地上に這い出す前に穴を掘って採集していた可能性もある）、十分な水分や餌を与えられずに長時間かけて日本まで持ち込まれる。また高湿な環境も与えられず、腎臓に負担をかける方法で飼育されれば、腎障害となり活性型のビタミンD_3も合成できない。こうして、健全な成長ができずに死亡する個体が多くなるというわけである。

こうした悪循環は長い期間にわたって続き、過剰採集に加えて生息地の環境悪化も進んだ結果、インドホシガメはCITES付属書Iに掲載され、今後国内繁殖がうまく行かなければ新規飼育は困難な状況となっている。現在の日本国内の飼育個体数を考えれば、国内CB化は不可能ではないだろうが、現在、一般化されている飼育法が改善されなければ、今後の繁殖成功率は低いままになる可能性もあると思われる。

インドホシガメ、飼育下での産卵。今後の健全な飼育法の確立、そして繁殖率の向上が望まれる。

爬虫類の餌　4 配合飼料の使い方

飼育下で爬虫類に与えることができる餌は、主に❶動物質の生き餌や冷凍・冷蔵餌（鶏肉や鮮魚等）、❷野菜、果実、野草等の植物質の餌、❸配合・加工飼料の3つに分けられる。配合・加工飼料のうち、「配合飼料」は動物質、植物質を含む複数の原料を加工して混ぜ合わせたものである。一方、「加工飼料」は整形後、冷凍や乾燥させて原形を残したままビタミンやミネラルを添加したものだが、本書ではこれらを合わせて「配合飼料」と呼ぶこととする。

この配合飼料のメリットは寄生虫の危険がなく病原菌の混入を抑えられて安全なこと、質や供給が安定していること等である。一方、デメリットとしては総花的な餌になりやすいこと（多くの種に使用できるがどの種に対しても最適とは言いにくい）、配合飼料を与えても食べないか、（栄養価的に）与えることの意味が少ないグループがいることである。このうち、「総花的になる」というデメリットは、複数の配合飼料や動物性飼料、植物性飼料を併用することでカバーできる。

与えても食べない、もしくは与えることの意味が少ないグループには植物食の水棲、半水棲ガメ（いわゆる水ガメ）や、生き餌や冷凍・冷蔵餌等の動物質の餌に頼るしかない外温性脊椎動物食のヘビ類等である。これらについては今後新たな製品の登場を期待したい。

一方、昆虫食のトカゲ類や、雑食性の水ガメではほぼ配合飼料のみによる飼育が可能で、繁殖に成功している例も少なくない。また、生体が販売されている時点で、妥当な配合飼料に餌付けされている場合もある。

リクガメ用の配合飼料は専用の製品が複数のメーカーから販売されている。一口にリクガメ科と言っても食性は異なる。例えば、草本や木の葉をほぼ専食するタイプと、草本や木の葉も食べるが果実や花もよく食べ多少雑食傾向もあるタイプでは与える餌を変えなければならない。現在売られているリクガメフードでもタンパク質が過剰で、カルシウムのリンに対する比率が低く、野菜と併用した上でカルシウム剤を添加して初めて使える製品もある。通常、草本や木の葉をほぼ専食するタイプのリクガメに相応しい葉野菜のタンパク質は1.5%（小松菜）～4.8%（モロヘイヤ）程度である。一方、ペレットタイプのリクガメフードのタンパク質量は15%以上にもなるものが多い。これについて、水でふやかして与えることから希釈されるので問題ないという意見もある。ペレットタイプの配合飼料は吸水により最大で重量が4倍（3倍量の水を吸水）程度になる。しかし、この吸水量だと餌が柔らか過ぎて崩れやすくリクガメが嫌がるのである。リクガメ飼育者の多くは2～3倍の重量になるほど吸水（等量から倍量の水を吸水）させるので、元のタンパク質量が15%以上なら希釈後でも5～7.5%以上となり、これは明らかにタンパク質が多過ぎる。しかも、野菜と比較して配合飼料は吸収がかなりよいことも心配材料である。

飼育種によって配合飼料の有効性は大きく異なるため、飼育種に与える餌として配合飼料がふさわしいかを判断しなければならない。そして、こうした餌の判断は、調子を崩してから慌てて行うのではなく、個体の調子が良い時に行わなくてはならない 。

しばしばリクガメ用フードに使用される4種の穀物。この他、動物質の原料を用いた配合飼料もあり、たんぱく質の過剰摂取も懸念され、与える量や頻度には注意を要する。

feeding for Turtles & Tortoises

カメ類の餌やり

「甲」とその他——健全な成長のための栄養素

形態的にも分類的にも、決して顕著にバラエティの多い動物というわけではないが、捕食行動や餌の嗜好性には多様性がある。身体的特徴をおさらいするとともに、彼らに必要な栄養素を紹介する。

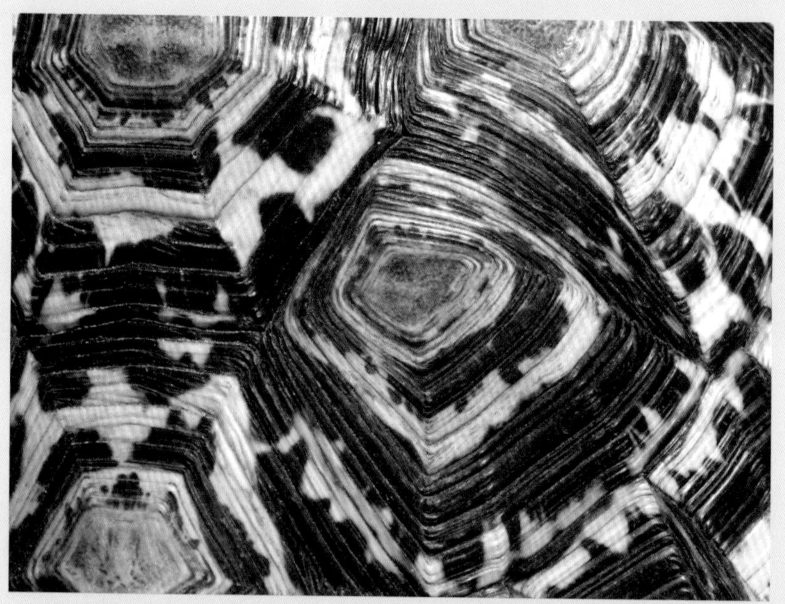

ヒョウモンガメ*Stigmochelys pardalis*の甲。その表面は死んだ表皮細胞が層状になり作られる。

カメは分類学的に爬虫綱双弓亜綱主竜形下綱カメ目に属する分類群で、２亜目14科353種からなる（安川・栗山, 2020）。

爬虫両生類の三大勢力であるカエル目、有鱗目トカゲ亜目、有鱗目ヘビ亜目はいずれも3500種以上。有尾目が700種以上からなることを考えれば、カメ目は小さなグループであるといえるだろう。

しかし、その食性について考えたとき、カメ類は他の爬虫両生類と比べて様々な餌を摂取している。完全な植物食から動物食まで、非常に食性の幅広い動物なのである。

例えばヘビ類、有尾類は動物食であり、カエル類は変態前の幼生時には主として植物食の種が多いが、変態後は基本的に動物食に特化する。トカゲ類においては、カメ類同様に植物食から動物食までの幅広い食性の種が存在するものの、大多数のトカゲ類は中小型種を中心に、生きた昆虫類等を捕食する虫食性（昆虫のみならず、生きた小型の陸棲の無脊椎動物を主に食べるという意味）の動物食か、かなり虫食性よりの雑食である。

自然界での食性は当然ながら飼育下での餌とも関連している。しかし、カメ類の多くの種が雑食性で様々な食物を摂食することは先に述べた通りで、生きた小魚や虫等の生き餌が必須ではない他、配合飼料に餌づきやすいのも特徴だ。

他にも植物食の種であれば市販の野菜や果実の他、栽培や採集可能な野草や園芸植物等にも容易に餌付けができる。動物食の種でも、流通している小型の淡水魚や餌用昆虫等の生き餌が利用でき、多くの場合そうした生き餌からスタートして市販の魚介類や鶏肉、冷凍餌、加工飼料（乾燥飼料や缶詰等）等に餌付けることが可能である。もちろんこうした植物質、あるいは動物質の餌は、雑食性の種の餌としても利用できる。

カメ類の形態的な特徴の最たるものはその「甲」であろう。カメ類の甲羅は硬タンパク質のケラチンからなり、外側にある甲板と、その内側にある骨質の甲骨板の二重構造でできている。この甲板の表面の層は生きた組織ではなく、死んだ表皮細胞が層状になったものだ。しかし、その深層はいわば皮膚が変形した「生きた組織」であり、新甲板の形成を続ける。また、甲骨板の骨組織も同様に生きた組織であり、甲の成長に合わせてカメの生涯にわたりその成長を続けている。そのため、健康的な成長のためには甲板および甲骨板の成長や新陳代謝に必要な栄養素をその食物から充分に摂取することが重要だ。

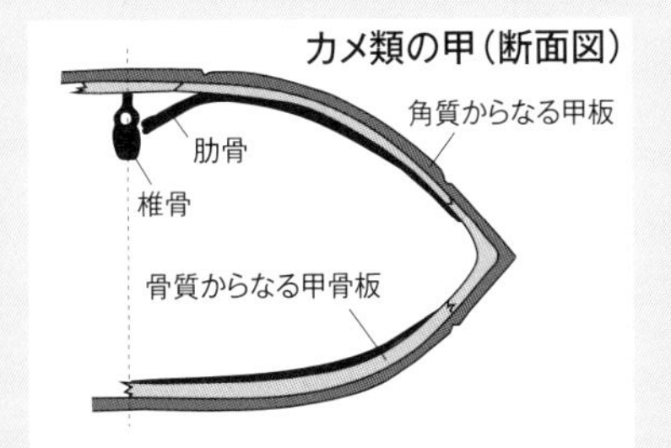

カメ類の甲（断面図）

ケラチンは甲板や表皮の角質部、上顎や下顎を覆う鞘状の角質部分（以下、くちばし）等の主成分でもあり、硫黄を含むアミノ酸であるシスチンを多く含む。シスチン内の硫黄原子間ではジスルフィド結合と呼ばれる結合が生じており、ケラチン分子はこの結合により網目状に強く結びついている。そのことでケラチンは強固であると同時に高い疎水性をもち、分解されにくいという特徴がある。なお、シスチンは生体内では硫黄を含む必須アミノ酸「メチオニン」から合成される。メチオニンは肉、豆類、野菜、果物、トウモロコシ等に多く含まれている栄養素である。

一方、甲骨板等の硬骨部分の主成分はリン酸カルシウムで、その主要な元素はカルシウムとリンである。また軟骨部分は硫酸コンドロイチン等のムコ多糖類（糖タンパクの一種で生体内では比較的容易に合成可能）やアミノ酸のグリシンを多く含むタンパク質「コラーゲン」が主成分である。

リンとカルシウムは骨の健全な成長のためにはともに必要な元素だが、この両者をバランスよくとる必要がある。また、骨組織の形成にはその材料となるカ

南米大陸北部に棲息する水棲ガメ・マタマタ*Chelus fimbriatus*。動く餌のみに反応する個体が多い他、警戒心が強く、捕食シーンが見られることは稀だ。ほぼ水棲に特化した種で、餌となる魚類等を水と一緒に呑み込む。

ルシウムの消化管からの吸収の促進、血中濃度の上昇が必要となり、そのためにはカルシウムとリンのほかにビタミンDを摂取する必要がある。

以上を踏まえると、カメ類の甲羅の成長にはアミノ酸としてメチオニン（必須アミノ酸）やグリシンを多く含む良質のタンパク質、カルシウムとリン、およびビタミンDを必要量含んだ餌が必要となる。また、カルシウムとリンの比率が崩れた場合、あるいはタンパク質やビタミンDを過剰に摂取した場合は、それが原因で代謝性骨疾患、腎臓や肝臓の疾患が生じる危険性も考慮しなくてはならない。

カメ類の形態的特徴からも餌の与え方は変わる。カメ類では水棲傾向の強い種が多く、水中でのみ採餌を行うカメ類は舌が小型で薄く、かなり発達が

カメに必要な主な栄養素

体や体内成分を形成する

栄養素	主な役割
タンパク質	筋肉, 甲板, 酵素, ホルモンの成分
カルシウム（Ca）	骨の主要な成分, 筋収縮, 細胞情報の伝達
リン(P)	骨の主要な成分, 核酸やリン脂質の成分

エネルギー源

栄養素	主な役割
脂肪	代謝のエネルギー源. 脂肪体等に貯蔵
糖質	代謝のエネルギー源. 過剰摂取は脂肪に変換

その他

栄養素	主な役割
鉄（Fe）	血液の成分
ナトリウム（Na）・カリウム(K)	浸透圧調整, 酸塩基平衡, 神経伝達
ビタミンA	視覚の維持, 上皮組織の保持, 免疫作用
ビタミンB群	酵素の働きを助ける補酵素の成分となる
ビタミンC	骨やコラーゲンの生成. 鉄吸収, 抗酸化作用
ビタミンD_3	カルシウムの吸収や代謝に必須
ω-3脂肪酸	細胞膜の成分となる
水溶性食物繊維	血糖値上昇抑制. コレステロール吸収抑制, 有用腸内細菌の野菜, 果物, 野草, 寒天
不溶性食物繊維	大腸運動の促進, 有用腸内細菌の活発化, 肥満防止

悪いが、同時に舌の支持骨格である舌弓という骨は大型で硬骨化が進んでいる。例えばマタマタ*Chelus fimbriatus*やチリメンナガクビガメ*Chelodina rugosa*等の捕食性のヘビクビガメ科では水中でこの舌弓を使って喉の部分を膨らませ、口腔内に陰圧を生じさせることで、水と一緒に食べ物をのみ込む。

また半水棲種であっても、クサガメ*Mauremys reevesii*やアカミミガメ属*Trachemys*のように陸上で大きなサイズの餌をのみ込むのが苦手な種では、陸上でのみ込みにくい大きな餌を口にくわえた状態で、水中に移動してからその餌をのみ込もうとする。これは舌弓の運動により水中で生じる陰圧が嚥下に必要なためである。したがってこれらの種では採餌のために水が必要であり、水深がかなり浅い場合、餌をくわえることは出来ても、のみ込むこむことができない。

そして採餌時にはたとえ少量でも必ず水を飲むことが必要となるため、飼育水が汚濁した状態では食欲の低下が起きるか、餌を食べたとしても汚濁した水により消化器に問題が生じることがある。

一方、陸棲傾向が強く、陸上のみで採餌を行うカメ類は舌弓が退化的かつ小型であり、大部分が軟骨からなる。

例えばリクガメ科のカメ類、ヌマガメ科やイシガメ科の陸棲種ではその舌弓は採餌ではなく、陸上で（喉の）口腔底の部分を上下させることで呼吸の補助として使用される。これらの種は採餌において舌弓のかわりに、非常に筋肉が発達した肉質で分厚い舌を利用する。空気中では舌弓の運動による陰圧では嚥下を行えないため、舌の運動で食物を喉の奥のほうに送り出すことで嚥下し、さらに食道へと送り込むのである。こうした種の場合、水面に浮かんでいるものならともかく、水中の餌を食べるのは（水が舌の動きを邪魔するため）苦手で、喉の奥に送り込みにくい流動性の餌は摂餌しにくい。

このほかニホンイシガメ*Mauremys japonica*やミナミイシガメ*Mauremys mutica*のような水中でも陸上でも採餌を行う種では、舌と舌弓の両方がある程度発達し、採餌の場所によって両方の嚥下法を使い分けることができる。

多く含まれる餌
筋肉, 甲板, 酵素, ホルモンの成分
マウスなど脊椎動物, 甲殻類, 一部の昆虫, 巻貝, 小松菜, モロヘイヤ
動物性の餌全般
多く含まれる餌
脊椎動物系の餌全般
果実, トマト, カボチャ, ニンジン, いも類
多く含まれる餌
脊椎動物, 赤身肉, レバー, 貝類, 緑黄色野菜
Naは様々な餌に含まれ、Kは植物性の餌に多い
脊椎動物, レバー, 緑黄色野菜
動物性の餌. 一部は緑黄色野菜, 豆類, 卵
葉野菜, 果物
動物性の餌（魚に多い）, 前駆物質はコレステローから紫外線で合成
魚, オキアミ, 葉野菜
カルシウム（Ca）
節足動物, 野草, キノコ, 酵母

「市販餌」の歴史を振り返って

カメは飼育動物として、広く親しまれてきた。比較的早い時期から専用餌が流通したが、健全な飼育のための様々なアイテム、情報が広がったのはそう古いことではない。

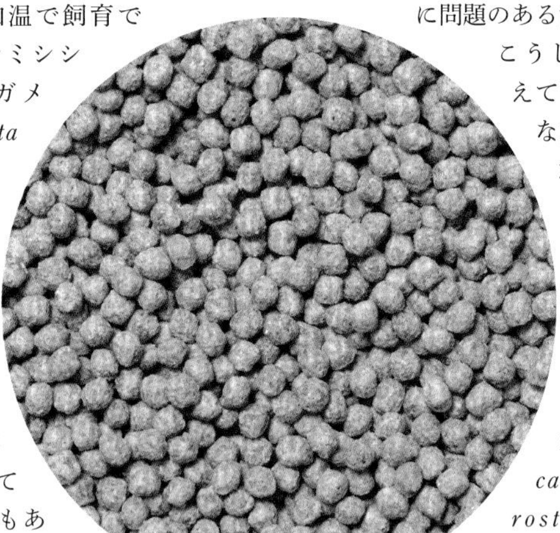

生き餌を必須とせず、人の食物を流用できるというカメ類の食性が広く知られるようになった1960～70年頃にかけての第一次爬虫類ブーム。この当時からカメ類はほかの爬虫類に比べて餌に困らない種が多いとされて来た。特に無加温で飼育できるクサガメやミシシッピアカミミガメ *Trachemys scripta elegans* といった温帯性の半水棲種は、長期飼育もそれほど難しいことではなかった。また、当時は保温器具が今ほど普及していなかったこともあり、熱帯地域産の種は冬季の適温維持が難しかったが、保温さえできれば飼育も可能な種が珍しくなかった。

私がクサガメを飼育し始めた1970年代前期の時点でも、クサガメやミシシッピアカミミガメ等の半水棲ガメについては専用の餌とされるものが早くも流通していた。しかし、キューブ状に固めた乾燥イトミミズや、アリの卵を原料としたペレット（リング状の製品で、以下アリ卵ペレット）などの単食では確実にカルシウム等のミネラルは不足する。これらは明らかに栄養価的に問題のある餌であった。

こうした餌だけを与えていたのでは健全な飼育は難しかったはずだが、私は飼育していたクサガメ、ミシシッピアカミミガメのほか、コロンビアクジャクガメ *Trachemys callirostris callirostris*（当時はミシシッピアカミミガメとともに「ミドリガメ」として売られていた）に、乾燥イトミミズやアリ卵ペレットといったカメの餌のほか、金魚の餌（球形のペレットやそれを砕いたようなクランブル状の製品）、煮干しやしらす干し、余った魚の切り身、生きた赤虫やイトミミズ等

アカミミガメ*Trachemys scripta*は国内の飼育種として最もポピュラーな種の1つと言えるだろう。夜店での「カメすくい」などでも見かけた種だが、飼育者が野外に放流し定着、外来種として様々な問題を生んでいる。

を与えていた。

当時は無加温飼育で、冬季は冬眠させていたため、コロンビアクジャクガメは寒くなると死亡してしまい、ミシシッピアカミミガメもミドリガメサイズのものは越冬にたびたび失敗したが、クサガメはやや成長したサイズの「金線ガメ（キンセンガメ）」が中心だったこともあってか、5～6年ほど生きたものも何個体かいた。

1970年代の後期には徐々に餌を変えていった。最初はどこで訊いたのかはっきりしないが、主食を球形で浮上性の錦鯉用のペレットフード（以下鯉の餌）とし、ほかの餌は補助的にのみ与えるようにした。鯉の餌は成分が同じで複数のサイズがあり、金魚の餌より大粒で、成体のカメに向くサイズもあり、栄養バランスも乾燥イトミミズやアリ卵ペレットよりはよいと言われていた。私は鯉の餌ほどは利用しなかったが、九官鳥用のペレットフード（以下九官鳥フード。成体用の鯉の餌よりやや小粒だが、それに比べ植物質が多くタンパク質量が少ない）を使用していた飼育者も多かった。雑食性の半水棲ガメや水棲ガメの餌として、コイの餌や九官鳥フードを与えることは、その後徐々に一般化してゆく。

1980年代半ば以降になると欧州メーカーの大型熱帯魚用のペレットフードやカメ類の専用餌ペレットフードも販売されるようになり、こうした餌をカメに与えることが一般化した。その後、国内メーカーによるカメ用のペレットフードも複数販売されるようになった。また、乾燥させたオキアミやヨコエビ、冷凍の赤虫や淡水エビ等も普及し出して、私もそれらを補助的に使用するようになった。

ケヅメリクガメ

インドホシガメ

1980年代末から始まり、1990年代前期にさらに高まった第二次爬虫類ブームでは、トカゲ類やヘビ類の人気が急増したが、カメ類も安定した人気を保っていた。カメ類用の配合飼料の流通は国産、外国産を含めさらに増え、選択肢は大きく広がる。動物食、雑食のカメ類の餌として利用できる餌用の昆虫やそのほかの動物等も生き餌、乾燥餌（カルシウム補給用の乾燥ヨコエビを含む）、冷凍餌等、種類が増えてゆく。

この当時はインドホシガメ*Geochelone elegans*の孵化幼体に近いサイズの個体が大量に密輸されていたほか、ケヅメリクガメ*Centrochelys sulacata*の輸入が安定化し、チチュウカイリクガメ属（*Testudo*）の輸入量が増えたことで、リクガメ類の人気が上昇した。

これらのリクガメ類に必要な低タンパク、低糖質、高食物繊維、高カルシウム、低リン、低硝酸塩という餌、すなわち適切な種類の野菜や野草を与えるという飼育法は欧米では1980年代末頃から広まり出した（Highfield, 1990）。しかし、日本国内では全くといっていいほど広まっていなかったため、健康的な状態での長期飼育は困難だった。特にケヅメリクガメについては輸入されていたリクガメ用配合飼料に餌づきやすく、それ単食での飼育が可能であるとされた。さらにその代用として（動物質を含むもの）原料が近く、国産で入手が容易で安価な九官鳥用の配合飼料がもてはやされるようになった。一時期、ケヅメリクガメの餌としての九官鳥フードは成長を促進させ、単食で利用できる餌という誤解が広まっていた。

当時の外国産のリクガメ用配合飼料は、鯉の餌や雑食性の半水棲ガメ用のペレットよりはタンパク質量が少ないものの、リクガメ類の多くに必要なタンパク質量をはるかに超えていた。この飼料は小麦、大麦、燕麦、米、トウモロコシ、大豆等の穀類や豆類、ふすまや米糠、野菜、牧草等を原料とし、製品差はあったものの食物繊維や、でんぷん等の糖質が多い傾向があり、単独ではリクガメに向いていなかった。また、カルシウムを添加されているものもあったが、リンに対する比率が低く吸収率は悪かった。そしてこれらは基本的に水や湯でふやかした状態で与えるため、タンパク質量は相対的に低くはなるがそのことを考慮してもそのタンパク質量は過剰症を懸念するレベルであった。

これらの大多数の製品はリクガメ類として比較的タンパク質の多い餌を要求するアカアシガメ*Chelonoidis carbonarius*、インドリクガメ属（*Indotestudo*）、セオレガメ属（*Kinixys*）等に水等でふやかした状態で野菜等と併用して与える餌としてなら

葉物野菜を食べるヘルマンリクガメ。リクガメの飼育には低タンパクである葉野菜、野草などがよい、とされる傾向が高まったのは'90年代半ば以降のことだ。

まだよかったかもしれない。

一方、九官鳥フードは雑食性の半水棲カメ類の餌としての利用が可能で、植物質がメインだが魚粉や鶏肉由来の原料を含んでいる。リクガメ用配合飼料に比べてもタンパク質がかなり多く、カルシウムに対するリンの比率が高い。これらの餌のみを与え続けられたケヅメリクガメの多くは顕著な代謝性骨疾患となるか、成体になる前に死亡した。一部、これらの餌を利用しても甲に問題なく成長させていた人はいたが、私の知る限りではそれらは全て野菜や野草等をメインの餌としていた。

このように当時のリクガメフードや九官鳥フードはケヅメリクガメやチチュウカイリクガメ属等の特に低タンパク、低糖質、高食物繊維、高カルシウム、低リンを意識するべきリクガメ類には補助的な餌としてもあまり奨められるものではなかった。カルシウムの不足やリンに対する比率の低さは代謝性骨疾患の原因となりやすく、高タンパク質は肝臓や腎臓の疾患につながる危険性があった。

リクガメの餌としてはウサギやモルモット、あるいは山羊、羊、牛馬等の草食性哺乳類用の配合飼料のほうがむしろ妥当だといえる。これらは実際に欧米では、リクガメ類に補助的な飼料として利用されていることもある。日本国内のリクガメ飼育者の一部にも使用者はいたようだが、私の知る限りでは一般化はしていなかった。

1990年代も半ばになると大きな爬虫類ブームは終焉した。しかし、このブームの影響で爬虫類を扱うペット店や熱帯魚屋、爬虫類専門店が増加し、爬虫類用の器具類、餌類も種類が増えた。紫外線を含む蛍光灯やメタルハライ

東京、新宿にある爬虫類カフェ。ヘビやイグアナ、カメが展示されている。以前と比べ、爬虫類への人々の関心が高まった象徴の1つと言えるだろう。

ドライト等の照明の使用、カルシウム等のミネラル類やビタミンを摂取させるための爬虫両生類用のサプリメントの使用も一般化した。その結果、ブーム終焉後も爬虫類飼育を続ける飼育者の他、新たに飼育を始める人たちも少なからず生まれた。日本国内でもマイナーでありながらも1つの趣味の分野として爬虫両生類飼育という分野が確立されたのである。

1996年にはHighfield（1990）による著書の和訳増補版である『カメの飼育ガイドブック 水棲・陸棲』（真菜書房1996）が発行され、日本のリクガメ飼育において、葉野菜や野草主体で低タンパク、低糖質、高食物繊維、高カルシウム、低リンの餌を与えるという方法が一気に広まった。これにより明らかに日本国内でのリクガメ類の飼育状態は改善された。

2000年頃からの爬虫類飼育に関しては、多数の爬虫両生類の専門店の出店や爬虫両生類専門誌の相次ぐ創刊、爬虫両生類関連の書籍の刊行が急増している。そのほか、IT技術やインターネットの発達による世界的なレベルでの飼育に関する情報の拡散、日本産CB（飼育下繁殖）専門を含む各種爬虫両生類イベントの拡充等様々な要素がプラスに働き、飼育に関して必要な情報はかなり入手しやすくなっている。

飼育器具や餌の進歩、多様化が進むとともに市販の専用餌も多様化している。例えば動物食ないし雑食の半水棲ガメの専用餌は浮上性のペレットだけでなく、沈水性のものや、成分に特異性を持たせたもの、有用な生きた細菌や酵母を含むもの等が流通するようになった。リクガメフードはより低タンパクで食物繊維が多くなり、牧草や野菜の割合が増えたのに対して、穀類や豆類の量は減少し、リクガメの餌としても利用しやすくなっている。情報、餌、飼育器具に関するこうした傾向は、現在はさらに進行している。

ただその一方で、情報があまりに増えた分、誤った情報や古すぎる情報も多く、特に初心者には飼育情報の取捨選択が難しい状況になっているといえるだろう。餌については多様性があり過ぎ、選択が難しくなっているともいえる。身近に相談できるベテラン飼育者がいるか、信頼のおける相談可能なペット店等がなければ、こうした問題は容易に解決することはできないだろう。

私はある国産CB個体展示販売イベントで、飼育相談会の相談員を十数年続けているが、初心者だけでなく、数年ほどの経験がある飼育者でも情報の過多により、餌や飼育器具の選択等に関して混乱をきたしている人が少なからずいる。餌と飼育器具の質の向上や進歩は疑いのない事実だが、その使用法に関する情報の普及は今一つである。

カメ類の餌事情に関しては、現時点ではかなり向上したのは間違いないが、まだまだ改善して欲しい点も少なくない。製品によっては、カメのサイズにより２、３段階のサイズからペレットフードの粒の大きさが選べる製品もあるが、成分自体は基本的に大きく変わらない。急成長するのが当たり前の孵化後間もない幼体の餌（栄養強化した製品が複数ある）、やや成長した幼体から性成熟するまでの亜成体用の餌、成熟して繁殖行動が始まった成体用の餌等、様々な栄養要求があることを飼育者は考慮する必要がある。孵化幼体の栄養欲求を満たす高栄養のペレットフードを、成長がほとんど止まり、繁殖行動も低下した老成個体に与えることによって問題が生ずるケースもある。

また、ほぼ動物食の種からほぼ植物食の種までを含むカメ類の配合飼料が、半水棲ガメ用、陸棲のハコガメ用、リクガメ用くらいしかないのは妥当だとはいえない。カメ類では幼体時には動物食または動物食よりの雑食で、成体時になるとほぼ植物食となる種や、雄と雌で体サイズに性的二型があり、餌の好みも異なる種が存在する。それに対応した給餌を行えるだけの商品の開発が望まれる。

犬や猫の餌では体のサイズや齢に応じて成分や栄養価の異なる餌の個別化が一般的になりつつあるし、小動物では必ずしも種ごとではないものの、専用配合飼料の開発が進んでいる。爬虫類でもミカドヤモリ属（*Racodactylus*）では、種の違いや成長段階に応じた配合飼料の個別化が一部の製品で始まっている。日本国内でのカメ飼育者人口を考えたとき、もう少し市販の餌のバリエーションが増えることが望まれる。

幼体時に雑食傾向／成長とともに植物食性が強まる主な種

イシガメ科
トゲヤマガメ、ヒラタヤマガメ、オオヤマガメ、シロアゴヤマガメ、コガタセタカガメ属
ヌマガメ科
リバークーター、ペニンシュラクーター、キタアカハラガメ、フロリダアカハラガメ
メキシコカワガメ科
メキシコカワガメ
スッポンモドキ科
スッポンモドキ
ナンベイヨコクビガメ科
モンキヨコクビガメ、サバンナヨコクビガメ、ズアカヨコクビガメ、ムツコブヨコクビガメ

カメの食性 特徴と対応策

カメは飼育管理にそれほど手間がかからない動物、という誤解がいまだに根強く残るが「ただ生きているだけ」ではない飼育のためには、彼らに本当に必要な餌と栄養素を知る必要がある。

カメ類は基本的に生き餌を必須としない種が多いこと、カメ類用の配合飼料が比較的古くから流通し現在は非常に入手しやすいこと等から餌やりについては問題の少ない飼育動物とされることが多い。

また、餌自体に関する事情以外にも、ミシシッピアカミミガメのように大量に流通している種を中心に飼育が容易な種が多く、特にある程度育った齢の飼育であれば比較的頑健で、問題のある餌や飼育環境でも数年単位で生存可能なケ

●小型種：背甲長が最大で15 cm未満 ●中型種：15 cm以上40 c

主なカメの飼育下での平均的な寿命の目安	健康的な個体を孵化幼体から良好な状態で飼
小型から中型の水棲, 半水棲ガメ	ニホンイシガメ, クサガメ, ミシシッピアカミミガメ, ミシシッピニオイガメ, ヒメニオイガメ, シロクチドロ ヒラタヘビクビガメ, ジェフロアカエルガメ
大型から超大型の水棲, 半水棲ガメ	ヒジリガメ, ボルネオカワガメ, チュウベイクジャクガ マタマタ, コウヒロナガクビガメ
小型から中型の陸棲ガメ（イシガメ科, ヌマガメ科）	シュペングラーヤマガメ, セマルハコガメ, モエギハ
小型から中型のリクガメ科	ギリシャガメ, ヘルマンリクガメ, ヨツユビリクガメ, インプレッサムツアシガメ
大型から超大型のリクガメ科	アカアシガメ, キアシガメ, アルダブラゾウガメ,

ースが少なくない。こうしたことから、「カメは何でも食べる簡単に飼える生物である」という意識は広く普及している。カメ類の飼育経験をもつ人は、爬虫類マニアと呼ばれるような層以外にも広く存在し、数年程度の飼育例をもつ人も多いことだろう。

しかし、生物の飼育経験がごく乏しい人ならばともかく、それなりに飼育経験がある爬虫類飼育者であれば、短い飼育期間、少数個体の飼育ができたからといって、「カメ類は飼いやすい」と考えるのは間違いであることがわかるのではないだろうか。

確かにカメ類は比較的多くの種で、初期の健康状態に問題がなく、持続的に入手できる餌に餌づいていれば、それほど飼育に神経質にならなくても問題が起きにくいことは間違いない。しかし、よい健康状態を維持し、継続的な繁殖の成功を目指すのであれば飼育、維持のための適切な知識（餌、飼育環境）が重要なのはいうまでもない。また、幼体や配合飼料に餌づいていないWC、特異な飼育環境を要求する種であればなおのこと、飼育の難しい種も少なくないのである。

カメを飼育する上でもう１つ問題になりやすいのは「水ガメ（半水棲、水棲のカメ類の総称）」、「ハコガメ」、「スッポン（スッポン科のカメ類）」、「リクガメ（リクガメ科カメ類）」などのカテゴリーごとに多くの種にまたがってその飼育法が一般化でき、それぞれのカテゴリーに含まれる種を全て同じ方法で飼育できるという誤解である。あるいは同属であれば同じように飼育できる、と考えている飼育者は少なくない。しかし、実際には同属内でも種ごとに生態や

種：40 cm以上を80 cm未満 ●超大型種：80 cm以上

数値。実際には健康状態や飼育法，繁殖させるかどうか，性別等によっても変化する。	
メ，ヨーロッパヌマガメ，キボシイシガメ，オオアタマガメ，ニホンスッポン，インドハコスッポン， ガメ，ヌマヨコクビガメ，クロハラハコヨコクビガメ，チリメンナガクビガメ，ニシキマゲクビガメ，	10～30年程度
，インドシナオオスッポン，スッポンモドキ，スジオオニオイガメ，メキシコカワガメ，オオヨコクビガメ，	20～50年程度
ガメ，シロアゴヤマガメ，アカスジヤマガメ，モリイシガメ，カロリナハコガメ，ニシキハコガメ	20～30年程度
ータリクガメ，パンケーキガメ，クモノスガメ，インドホシガメ，チャコリクガメ，オウムヒラセリクガメ，	30～40年以上
ンガメ，ケヅメリクガメ，エミスムツアシガメ	30～60年以上

代表的な陸棲のイシガメ科，ヌマガメ科，リクガメ科の食性の違い

種名	食性	備考
イシガメ科		
セマルハコガメ *Cuora flavomarginata*	雑食（昆虫，その他の陸棲節足動物，陸棲巻貝，ミミズ，果実等）	陸上でも浅い水中でも餌を食べる。
トゲヤマガメ *Heosemys spinosa*	植物食よりの雑食（草本，木の葉，果実，小型無脊椎動物）	陸上でも主に餌を食べる．成体はほぼ植物食。
ヌマガメ科		
モリイシガメ *Glyptemys insculpta*	雑食（昆虫，その他の陸棲節足動物，陸棲巻貝，ミミズ，果実）	陸上でも浅い水中でも餌を食べる。
リクガメ科		
ニシヘルマンリクガメ *Testudo hermanni hermanni*	植物食（草本や木の葉を中心に果実や花等も食べる）	陸上で餌を食べる。稀にナメクジ等を食べる。
モリセオレガメ *Kinixys erosa*	雑食（草本，木の葉，果実，陸棲節足動物，陸棲巻貝，ミミズ）	陸上で餌を食べる。リクガメ科で最も雑食性が強い種の１つ。

食性が異なり、飼育法が大きく異なる種もいることは肝に命じておく必要があるだろう。

また、こうした誤解は同時にカテゴリーや分類群によって標準的な「正しい飼育法がある」という誤解も生んでいる。これは非常に危険なことである。飼育書や飼育雑誌においては、説明の都合上、カテゴリーや分類群ごとに共通する飼育法を紹介されていることが多い。しかし、これらはあくまで基本の飼育法として理解するべきものであり、それぞれの種や亜種、あるいは同一の種や亜種であってさえもサイズや齢、性別に合わせて変更する必要がある。その他、飼育している地域や飼育ケージを設置している環境、繁殖を狙うかどうか、複数種を同居させるのか、あるいは同一種を複数同居させるのか等によっても飼育法は異なることを忘れてはならない。

例えばイシガメ科の半水棲種は雑食性の種を中心に、動物食にほぼ特化した種や、成体ではほぼ植物食となる種に至るまで、あらゆる食性の種を含む。その複数種を一種類のみの配合飼料で飼育しようとするのは妥当な餌のやり方ではないだろう。また、与えた餌を好まない種にもかかわらず、何としてもその餌に餌づけようとする事例もみられる。

私は先に記した飼育相談会等でたびたび爬虫類の飼育相談を受けるが、特にカメ類では対象種の種名や亜種名等を伝えられないで質問されるケースも少なくない。さすがに「うちのカメが餌を食べませんがどうしたらいいでしょう」というほどの漠然とした質問は少ないが、「水ガメを繁殖させるためには餌をどう気をつけるのがよいか」、あるいは「室内飼育でのリクガメのミネラル剤やビタミン剤の与え方について」など、種名で

代表的な水棲，半水棲ガメの食性の違い

種名	食性	備考
イシガメ科		
ニホンイシガメ *Mauremys japonica*	雑食（昆虫，魚，甲殻類，水棲巻貝，水草，果実等）	陸上でも水中でも餌を食べる
クサガメ *Mauremys reevesii*	雑食（昆虫，魚，甲殻類，水棲巻貝，水草，果実等）	主に水中で摂餌。陸上で食物を呑み込めない。
ヒジリガメ *Heosemys annandalii*	植物食（水草，水生植物，藻類，果実等）	同属で最も水棲傾向が強い。水中で摂餌。
ヌマガメ科		
ヨーロッパヌマガメ *Emys orbicularis*	雑食（昆虫，魚，甲殻類，水草，果実等）	主に水中で摂餌。幼体は動物食傾向が強い。
アカミミガメ *Trachemys scripta*	雑食（昆虫，魚，甲殻類，水棲巻貝，水草，果実等）	主に水中で摂餌。 陸上で食物を呑み込めない。
カロリナハコガメ *Terrapene carolina*	雑食（昆虫，その他の陸棲節足動物， 陸棲巻貝，ミミズ，果実，キノコ等）	陸上で餌を食べる。
オオアタマガメ科		
オオアタマガメ *Platysternon megacephalum*	動物食（甲殻類，昆虫，ミミズ，水棲巻貝，魚等）	主に水中で摂餌。 陸上で食物を呑み込めない。
カミツキガメ科		
ワニガメ *Macrochelys temminckii*	動物食（魚，両生類，甲殻類，他のカメ等）	水中で摂餌。幼体は魚食性が強い。 個体群により植物質を食べる。
スッポン科		
ニホンスッポン *Pelodiscus sinensis*	動物食よりの雑食 （昆虫，魚，甲殻類，水棲巻貝等）	主に水中で摂餌。 陸上で食物を呑み込めない。
インドハコスッポン *Lissemys punctata*	雑食（昆虫，魚，甲殻類，水棲巻貝，水草，果実等）	水中で摂餌
スッポンモドキ科		
スッポンモドキ *Carettochelys insculpta*	植物食よりの雑食 （水に落ちた果実，水草，昆虫，水棲巻貝）	
ドロガメ科		
ミシシッピニオイガメ *Sternotherus odoratus*	雑食 （昆虫，小魚，甲殻類，水棲巻貝，水草，果実等）	主に水中で摂餌。 陸上で食物を呑み込めない。
スジオオニオイガメ *Staurotypus triporcatus*	動物食（巻貝，二枚貝，甲殻類，魚，他のカメ）	水中で採餌。
メキシコカワガメ科		
メキシコカワガメ *Dermatemys mawii*	植物食 （水草，水生植物，藻類，水に落ちた果実等）	水中で採餌。 幼体は水棲の無脊椎動物等も食べる。
ナンベイヨコクビガメ科		
モンキヨコクビガメ *Podocnemis unifilis*	植物食よりの雑食 （水草，水生植物，果実，昆虫，甲殻類等）	水中で採餌。幼体は雑食より。
マダガスカルヨコクビガメ *Erymnochelys madagascariensis*	雑食（昆虫，魚，甲殻類，水棲巻貝，水草，果実等）	水中で摂餌。幼体は動物食より
アフリカヨコクビガメ科		
ヌマヨコクビガメ *Pelomedusa subrufa*	雑食（昆虫，魚，甲殻類，水棲巻貝，水草，果実等）	主に水中で摂餌。幼体は動物食より。
クリイロハコヨコクビガメ *Pelusios castaneus*	雑食（昆虫，魚，甲殻類，水棲巻貝，水草，果実等）	水中で摂餌。幼体は動物食より。
ヘビクビガメ科		
マタマタ *Chelus fimbriatus*	動物食（主に魚，他に甲殻類，水生昆虫， オタマジャクシ等）	水中で採餌
ニシキマゲクビガメ *Emydura subglobosa*	雑食 （昆虫，小魚，甲殻類，水棲巻貝，水草，果実等）	主に水中で摂餌。 陸上で食物を呑み込めない。

餌を与える上で，考慮するべき条件

発育段階	注意すべき事項
1歳未満（1年仔）	1日複数回給餌。特定の餌のみ与えない。
1歳から性別が判るまで（幼体）	1日1～2回給餌。餌の種類に幅を持たせる。
性別が判るようになってから繁殖行動開始まで（亜成体）	餌の頻度を減らし、食性変化する種は植物質などを意識的に与える。
繁殖行動開始から成長がほぼ止まるまで（成体）	餌の頻度を減らし、繁殖、交尾行動の前後に給餌を強化。
成長がほぼ止まった個体（老成個体）	餌の頻度を減らし、低カロリー低脂質を心がける。
性別等	
性別不明（未成熟な幼体）	成長に注視し、1日1～2回以上給餌する。
雄（亜成体もしくは成体）	他個体に攻撃的な個体が出るので、複数飼育なら餌が行き渡るか注視する。
雌（亜成体もしくは成体）	食性が変わる個体に対応。産卵の前後に給餌量を増し、タンパク質やカルシウムを強化。
冬眠の有無	
冬眠させる個体	冬眠の数週前には絶食させる。冬眠明けは消化のよい餌を与える。
加温飼育する個体	夏場と同様の給餌を行う。肥満に注意する。
飼育場所	
屋内飼育だが，時々日光浴等で外に出す	給餌直後の個体を外に出すのは避ける。
屋内飼育	紫外線被爆が少ない個体はビタミンD_3を与えること。
屋外飼育	日没後、低温が予想される天候で餌を与えない。

はなくカテゴリー名での質問も多いのである。

環境要求や食性の差が小さい種を同様の方法で飼育するのは妥当だといえるだろう。また、毎年複数種について多数の個体を繁殖させている爬虫類ブリーダーがいたとする。飼育の手間を軽減するために異なる飼育種の飼育法を健康に問題ないレベルで画一化し、餌の嗜好や栄養的な要求の近い種について同じ餌を与えることは問題ない。

ただ、複数の種・亜種を飼育する場合のカメ飼育の楽しみの1つは、個々の種や亜種の違いを認識し、それぞれに応じた飼育法を工夫することにあるともいえないだろうか。個別の種や亜種、あるいは異なる属以上の上位分類群の間に見られる多様性を知り、それぞれの知識を深めていくことはカメを飼育する上での大きな楽しみである。そのためには、その種や亜種について可能な限り情報を集め、その情報や飼育下での自分の観察に基づいて個々の種・亜種に対して飼育法をカスタマイズする必要がある。

先の通り、カメ類はその種数に対して非常に食性の多様化が進んだ分類群である。食性について集めるべき情報は野生での食性、飼育下での食性、実際に自

分が与えた場合の観察結果である。情報集めの際は、サイズや齢、性成熟の有無、性別等によって変化する可能性にも注意しなければならない。

また野生個体を自分で採集する場合は、野生時の食物の残骸が含まれている可能性の高い糞を採集し、水に溶いて不消化な部分を調べるのも参考になる。例えば、貝殻の破片、昆虫のクチクラ片、魚の鱗や骨、植物の繊維や種等は肉眼でも解りやすい。そして、その個体の野外食性の情報がない種でも同属等の近縁種の食性は参考になる場合も多いし、購入した店舗や同じ種を飼育する他の飼育者から情報が得られる場合もある。さらに、飼育下で自分が与えてみた餌への反応に関する観察結果は、他に情報がなければ極めて重要である。ただし、飼育下では本来の食性から大きく外れた餌を食べるようになることもしばしばある。そうした野生下から外れた餌の単食や常食が、疾病や成長異常につながる危険についても留意しなければならない。

餌についてはやはりそれまでに与えられた餌、食べていた餌の種類（WC個体であれば野生状態での餌の種類）が影響する。特に爬虫類店や業者登録したブリーダーまたは爬虫両生類イベント等で個体を購入する際には、餌付けの有無と同時に、与えている餌（配合飼料であれば製品名まで）を訊ねることを忘れてはならない。飼育環境の変化によりそれまで食べていた餌を食べなくなるケースもあるが、購入前まで与えていた餌を把握して、その餌から与えるのが無難であることは間違いない。

なお、カメ類は体温が上昇して活発

野菜類を食べるリクガメ類。飼育下では野生下とは違う餌、量を与えるケースも多い。導入直後は特に嗜好性、そしてそれに伴う栄養価に注意を払う必要がある。

に活動している際は代謝が上昇するが、非活動時の代謝は低いため、元々の栄養状態が良く、その間に水分さえ摂取可能ならば幼体でも1週間程度、成体では数週間の絶食にも耐える。そうした生理から、購入後の家までの運送中は数時間程度なら水も餌も与える必要はない。移動が数日に及ぶ場合、高温で乾燥した環境であれば水を飲ませねばならないこともあるが、ある程度高い湿度が維持されていれば、やはり水も餌も不要である。

家に持ち帰りケージに収納してから

は、餌や水を与える必要があるが、給餌よりもむしろ新たな飼育環境になれさせることが重要であり、2、3日おいてから餌を与えるほうが問題は少ない。

数日留守にする場合も、水さえ摂取できる飼育環境であれば1週間程度の絶食は通常あまり問題にならない。ただし複数個体の同居飼育の場合には、腹が減った個体が他個体の尾端や指をかじったり、ひどい時には捕食したりする可能性もある。とはいえ、留守にする直前に大量に餌を与えることはやめたほうがいい

糞の状態を見ることは、飼育個体の健康状態を知る手がかりの1つとなる。

だろう。なぜなら食べ残した餌が腐敗してケージ内の環境が悪化するか、腐敗した食物を食べることで消化不良や下痢等の原因となる危険性があるためである。

どうしても留守期間内に餌を与えなくてはならない場合には、観賞魚用等のタイマー付きの自動給餌器を使用してペレットフードを与えるか、ケージ内に餌となる植物（水ガメの場合は水草がよい餌となる場合がある）を設置したり、餌皿内から脱走しにくくカメに危害を加えない程度のミルワームや小型のデュビアを置き餌したりする方法もある。

カメ類、特に水棲、陸棲ガメの飼育においては配合飼料を用いるケースが多い。この配合飼料に関しては基本的に複数の種類を併用するのがよい。配合飼料と生き餌、冷凍餌、乾燥餌等の加工餌、野菜や野草等を併用して与えるという場合にも、やはり複数種の配合飼料を併用する。

一般に爬虫類には特定の種類の餌に対する「固執」と「飽き」という特徴がみられる。複数の餌の併用はこの固執と飽きを予防する効果がある。固執は特定の餌のみ食べ、それ以外の餌を食べなくなる現象である。その他の餌を食べていた個体でも特定の餌のみを与え続けた場合、あるいは最初に餌づいた餌のみ与え続けた場合に起こりやすい。

一方、飽きは特定の餌を与え続けていた個体が突然その餌を食べなくなる現象である。この飽きは他の餌に切り替え

「固執」「飽き」の事例と改善方法

固執の例	解決策
セマルハコガメに、孵化幼体の時からあるメーカーの特定の配合飼料のみを与え続けた結果、それ以外の餌を一切受け付けなくなった。この配合飼料がモデルチェンジすると食べなくなる。古い在庫を探してしのいでいたが、それも手に入らなくなった。	飼育者は虫が嫌いで生きた昆虫を試していなかった。空腹状態にして生きたイエコオロギを与えると食べるようになった。冷凍コオロギも食べるようになったので、練り餌にした別の配合飼料にまぶして与えたところ、これもを食べるようになる。この方法で数種の配合飼料の餌付けに成功。その後複数の配合飼料をブレンドした餌に加え、ときどきコオロギを給餌している。
ヨツユビリクガメにある特定のリクガメ用配合飼料を与えたところ、これしか食べなくなった。甲の成長異常等が出て来たので、葉野菜の給餌に戻そうとしたが失敗し，その後はその配合飼料のみ与え続けた。甲の成長異常はさらに進行した。	かなり太った個体の割に餌付け前の空腹期間が短いと判断し、徐々に餌を減らす。１カ月弱は水のみを与えたが体重はわずかに落ちた程度だった。良質な葉野菜を絶食後、約２週間後から与えたところ１カ月少し前頃から食べるようになる。その後は配合飼料は全く食べなくなる。甲の成長異常は進行を食い止められた。
とある熱帯魚店が陸棲種だと思って成体5個体のWCのカブトニオイガメを仕入れる。餌を食べずに持て余していたこれらのカメを購入したが、健康状態は悪く、全く餌づかなかった。釣り餌のヒゲナガカワトビケラの幼虫（クロカワムシの名称で知られる）を与えたところ、食べた個体がいたが、この個体はその後も採集したクロカワムシしか食べなくなる。	他の個体を含め、静かな環境で甲がぎりぎり水没する水深で個別に単独飼育する。殻を割ったタニシ、川エビ、ミミズ、フタホシコオロギ等の昆虫を時々試すと、やがて少しずつ食べるようになる。5個体中３個体は立ち上げに成功した。しかし２個体は死亡した。

ることで、簡単に解決するケースもあるが、それまで与えていた餌を食べなくなるだけでなく、それ以外の餌も食べなくなり、改めて餌付けを行う必要が生じることもある。

ヨツユビリクガメ*Agrionemys horsfieldii*。配合飼料のみでは甲の成長異常など、健全な成長が望めない事例もあり、植物質の餌と併用する必要がある。固執や飽きの予防は必須と考えたい。

例えば同じメーカーの同一商品であっても、餌の原材料や製造工程等が変更されるといういわば「マイナーチェンジ」が行われることがあり、その前後で餌への嗜好性が著しく変化することも起こりうる。

CB個体に関しては比較的固執や飽きが起こりにくい種が多い。しかし、一旦これらが生じ、さらに固定化すると修正がかなり難しい。餌づけ済みの孵化後数カ月程度の個体であれば、比較的他の餌への移行は容易だが、特定の餌のみを何年も与え続けられた個体は、その餌に対する固執が非常に強くなり、他の餌を受け付けなくなることがある。こうなると非常に厄介で、複数の餌の併用はこうした問題を予防する効果がある。

飽きの例	解決策
複数の配合飼料をブレンドしてキボシイシガメに与えていたところ、特定の配合飼料のみ残すようになる。空腹時にその餌を単独で与えたところ、全く食べない。定評のある餌なので食べさせたいが……。	他の複数の餌を食べているようであれば、その食べなくなった餌以外の餌だけで栄養的に全く問題ないとアドバイスした。数年後、食べなくなった餌を試してみるとあっさり食べた。 ＊飼育者が特定の餌にこだわるケースもあるが、栄養的に満たしていれば、他の餌でカバーできることもある。
私はトカゲモドキのためにイエコオロギを大量に殖やし、若齢幼虫を幼体の餌、成虫を種親の餌にしていた。夏場はすぐに成虫になるので成虫が大量に余るため、冷凍にした。これを家の水ガメに与えたところ、特にオオニオイガメ属とヤエヤマイシガメで非常に嗜好性が高かった。翌年までイエコオロギを単食させたところ、かなり健康状態が良くなった。しかし、２年目の後半、ヤエヤマイシガメは（体調はよさそうだが）餌食いが悪くなる。オオニオイガメ属２種は変化はなし。	ヤエヤマイシガメはどうもイエコオロギの単食に飽きていたようだった。別の餌を併用することで、イエコオロギも従来のように食べ始める。

陸棲の植物食に特化したカメ類の中の異端児

野生下において植物を中心に食べている彼らには、それほど多くのタンパク質やカロリーは必要ない。むしろ三大栄養素の過多を心配をする必要があるだろう。

リクガメ科はカメ類の中では例外的に「科」レベルで植物食かつ陸棲に特化する方向に進化したグループである。陸棲のカメ類はリクガメ科の他にヌマガメ科、イシガメ科にのみ見られるが（他の科は半水棲種または水棲種である）、陸棲とはいえ湿性の環境を好むものが多く、基本的には雑食性である。

なお、上記の３科はオオアタマガメ科と合わせ４科で「リクガメ上科」という分類群をなす。このリクガメ上科は現生のカメ目では最も繁栄し、適応放散しているグループであり、種数では実にカメ類全体の半数以上を占める。

リクガメ科の大半は草本や樹木の葉を主に食べるほぼ植物食の種である。そしてこれらの種はステップ気候域（年間を通し乾燥するが短い雨季があり、草原が発達する）、砂漠気候域等の乾燥地の他、季節によってはかなり乾燥するサバナ気候域や地中海気候域、温帯モンスーン気候域等に棲む種が多い。野生下では果実や花、あるいは僅かな動物質をも食べるという観察記録があるものの、飼育下では葉野菜や野草等の植物質中心の給餌で飼育ができる。

一方、熱帯モンスーン気候や熱帯雨林気候、比較的湿潤なサバナ気候域等、熱帯の比較的湿った環境に生息するアカアシガメ *Chelonoidis carbonaria*、キア

リクガメ上科の4科とそれぞれの代表種

リクガメ上科
リクガメ科（60種）
ギリシャリクガメ、エロンガータリクガメ、インドホシガメ、ケヅメリクガメ、ガラパゴスゾウガメ、ベルセオレガメ、
イシガメ科（71種）
ニホンイシガメ、クサガメ、リュウキュウヤマガメ、セマルハコガメ、トゲヤマガメ、ホオジロクロガメ、カンムリガメ、
ヌマガメ科（53種）
ヨーロッパヌマガメ、キボシイシガメ、モリイシガメ、カロリナハコガメ、ニシキガメ、アカミミガメ、フロリダアカハラガ
オオアタマガメ科（１種）
オオアタマガメ１種のみ

*リクガメ上科はリクガメ科、イシガメ科、ヌマガメ科、オオアタマガメ科の４科からなる。異論もあるが、このうちリクガメ科とイシガメ科が単系統でヌマガメ科とオオアタマガメ科がそれぞれ単系統であるという説が有力。これら４科が単系統群を形成する。

アフリカ大陸の広域に広く分布するヒョウモンガメ*Stigmochelys pardalis*。比較的乾燥した環境に生息し、単子葉植物、双子葉の草本や木の葉を主に食べる。

シガメ*C. denticulata*、インドリクガメ属（*Indotestudo*：欧米の飼育書では雑食性は低いともされるが、日本国内の飼育下では雑食性の傾向が強いことが判っている）、ベルセオレガメ*Kinixys belliana*とその近縁種（後述の２種を除くセオレガメ属）、エミスムツアシガメ*Manouria emys*等は草本や樹木の葉も食べるものの、主食は果実や花で、キノコ類も食べている。さらに、これらの種では一般的なリクガメ類に比べて野生下でも軟体動物やミミズ、動物の死骸等の動物質を食べるという観察記録が少なくない。

ただし例外的にモリセオレガメ*Kinixys erosa*とホームセオレガメ*K. homeana*は、リクガメ科の中でも最も動物食傾向が強い雑食性の種で、野生下で草本や樹木の葉、果実や種子、花等も食べる一方で、陸棲の巻貝やナメクジ、ミミズ、昆虫等を好んで食べる。

もう１つの例外はインプレッサムツアシガメ*Manouria impressa*で、この種は

ヤブガメ、クモノスガメ、テキサスゴファーガメ、エミスムツアシガメ等
カワガメ、テントセタカガメ、アカスジヤマガメ等
メ、テキサスチズガメ、ダイアモンドガメ等

野生下では雨季に主にキノコを食べることが判っている。しかし乾季には活動が低下し、主食のキノコが少なくなることから、水分補給のために緑色植物を食べることがある（竹や笹の若芽を食べた記録がある）。

この種については市販のヒラタケ、エリンギ、エノキタケ、ブナシメジ、タモギタケ、キクラゲ類、椎茸、舞茸、マッシュルーム等の生のキノコを食べる。そのため、これらのうちで入手可能で個体の嗜好性が高いものを選んで給餌するとよい。また、食べるようなら少量の葉野菜（他のリクガメ類でも使用できる）を併用するとよいだろう。なお、白桃やリンゴ等、色の白い果実類を食べることもあるが、消化不良の原因になるため、多用は禁物である。

また、この種はリクガメ用配合飼料に餌づけることは難しいが、餌づいた個体がそれのみを餌にして数年生きたという事例もある。

このようにリクガメ科の食性は細分化すると1.草本食または葉食で動物質をあまり必要としない種、2.主に植物食だが果実や花もよく食べ動物質も多少は食べる種、3.植物質以外に動物質も好む種、4.キノコが主食の種の4つのタイプに分類される。

このうち、「4」のキノコ食の種の餌やりについては先に記した通りである。その他の3つのタイプは基本的に適切な種類の葉野菜と野草を中心に、果実（リンゴ、キウイ、バナナ、ベリー類、柑橘類、アセロラ等）や花（菜花、食用菊、

リクガメ上科４つの食性とそれぞれの代表種

リクガメ上科
草本食、葉食で動物質をあまり必要としない種（乾燥した環境に生息する種が多い）
チチュウカイリクガメ属、パンケーキガメ、ケヅメリクガメ、ホシガメ属、ヒョウモンガメ、ヤブガメ属、ヒラセリクガメ属、イツユビヒラセリクガメ属、アルダブラゾウガメ、ホウシャガメ、クモノスガメ、ゴファーガメ属
主に植物食だが果実や花もよく食べ動物質も多少は食べる種（比較的湿った環境に生息する種が多い）
アカアシガメ、キアシガメ、インドリクガメ属、下記の２種を除くセオレガメ属、エミスムツアシガメ
植物質以外に動物質も好む種
モリセオレガメ、ホームセオレガメ
キノコが主食の種
インプレッサムツアシガメ

エディブルフラワー等）、その他の野菜類（トマト、キュウリ、カボチャ、ニンジン、オクラ、カラーピーマン等）や豆類、コーン（冷凍製品も利用可能）、あるいは動物質、そしてそれらの代用として配合飼料の給餌量を増減させることで対応できる。

葉野菜類の中で比較的餌として使用しやすいのはアブラナ科アブラナ属の野菜類である。この属としては小松菜、青梗菜やパクチョイ、大根菜（葉大根）、水菜、つまみ菜（体菜等のスプラウト）はカルシウムが多く（カルシウム/リン比も高い）、年間を通して流通がある。

また、アブラナ属以外で年間を通して利用できる野菜、なおかつ栄養価も高いものにバジル、青ジソ等がある。夏場以外に流通が多い大根やカブの葉の部分、やはり流通時期は限られるがモロヘイヤ、タアサイ、ツルムラサキ、サントウサイ、高菜、野沢菜等もよい餌となる。栄養的にはカルシウム量等の点でこれらに劣るもののキャベツ、レタス類、白菜、春菊等、からし菜、よう菜（空芯菜）等は餌のバリエーションを高めるのに有効である（リクガメ用の餌として利用可能な野草に関しては「野草の項目（22頁）」を参照）。

レタス類の中でも一般的なレタスは低タンパクだが、カルシウム量は少なく、カルシウム/リン比は1.0前後で

雑食のカメに与えられる餌と与えない方がよい餌

雑食性カメに与えられる餌	雑食性カメに与えないほうがいい餌
●専用の配合飼料 ●脂肪の少ない淡水魚（活、冷凍、乾燥） ●少量の口に入るサイズの冷凍のマウス ●ウズラ雛 ●ウシの心臓、鶏肉の脂肪の少ない部位 ●陸棲の昆虫（活、冷凍、乾燥等） ●甲殻類（活、冷凍、乾燥等）貝類（活、冷凍） ●植物食のカメに向く野菜・果実・野草、水草	●毒のある植物 中毒、死亡の原因。ヒトとカメへの有毒性は一致しないが、ヒトに有毒な植物は避けるのが無難。 ●アンセリウム、カラー、カラジウム、クワズイモ、サトイモ、ディフェンバキア、フィロデンドロン、センテステラ等のサトイモ科植物 シュウ酸カルシウムが特に多い植物でその針状結晶が炎症の原因。 ●レタス、キュウリ、ナス 栄養価が低い。水分補給用で水棲、半水棲種には効果が薄い。レタス、ナスはシュウ酸も多い。 ●ホウレンソウ、フダンソウ、ブロッコリー、パセリ、未熟なバナナ、アカザ科の野草、タデ科の野草、カタバミ科の野草 水溶性のシュウ酸が多くカルシウムの吸収を阻害。結石の原因となることも ●芽キャベツ シュウ酸、ゴイトロゲンと呼ばれる甲状腺腫誘発する物質が特に多い ●頭頸部を除く骨付きの鶏肉 骨が破片状に割れて消化管等に刺さる ●ドッグフード、キャットフード ほとんどの製品が脂肪、リンが多過ぎ、ビタミン、ミネラルの配合が爬虫類向きでない

ある。これは他のレタス類、すなわちサニーレタス、グリーンリーフレタス、サラダ菜等に比べてカルシウム、ビタミンA、ビタミンC等の量が少ない（特に水耕栽培のものはその傾向が顕著である）。

このように書くとレタスを与えることの弊害が懸念され、他のレタス類を与えるほうがいいのではと思われそうだ。しかし、レタスは嗜好性が高く、水分を摂取させていると考えれば使い勝手のいい野菜だともいえる。要するにレタスだけを単食させることが問題なのであり、特に積極的に水を飲まず専ら食物から水分をとる乾燥地に生息する種については、水分補給として有効である。また、嗜好性の高さを利用して数種の野菜を混ぜて与える際、レタスを混ぜることで食欲を増進させることもできる。

近年、流通の増えているスプラウトやベビーリーフなどもリクガメのよい餌だといえる。これらは食用に市販されているものは量の割に高価だが、野菜類や豆類、ソバ、ヒマワリ、アルファルファ、トウモロコシ、麦類等は園芸店で購入した種、あるいは葉野菜の茎の根本と根の部分を残したものをプランター等に植えて自家栽培もできる。なお、これらを大きく育てるにはそれなりの手間がかかるが、餌用にスプラウトやベビーリーフとして利用する分には家庭でも手軽であり、容易に無農薬の野菜を入手できる点もよい。

カメに安全に餌をやるために

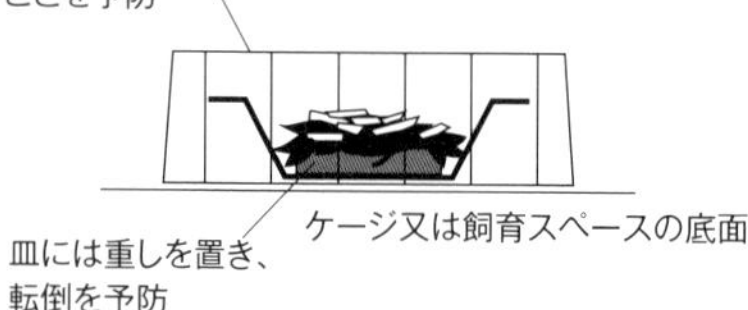

屋外飼育の場合の餌の設置

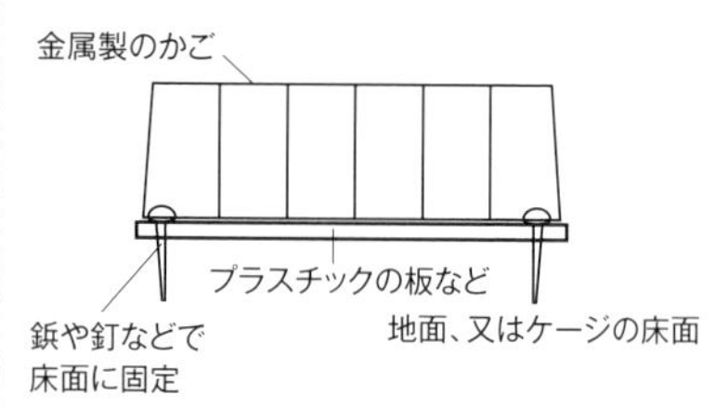

よくある皿の転倒事例

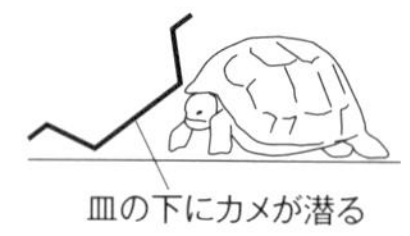

皿に金属製のかごや重しを使うことで、これらの事故を防ぐことができる

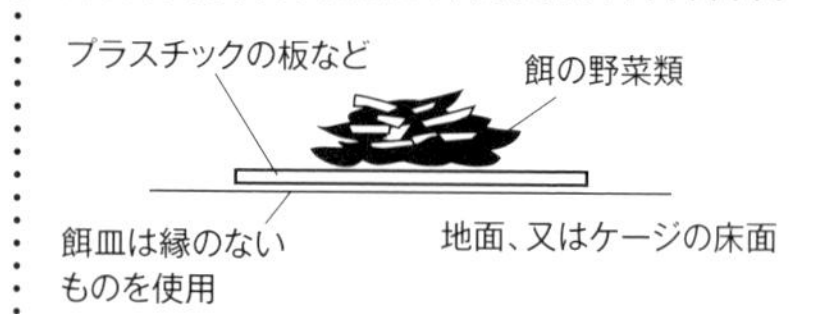

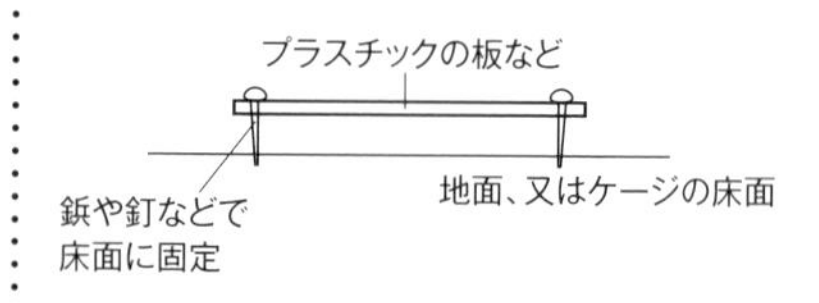

屋外飼育では餌皿を地面に固定するのも転倒予防に効果的。また餌皿は縁のないものを使用することで転倒を予防できる。

リクガメ科に与えられることのある餌4種。このうち、ドッグフードはどの製品も脂質やリンが多く含まれ、飼育個体の肥満や健康を害することがあるため、避けた方よいだろう。

家庭菜園や園芸の際、間引いた枝や葉等も毒性を確認した上で餌に利用できるものがある。ただし、ナス科のジャガイモやトマト、サトイモ科の植物、その他の有毒植物等はリクガメの健康を害する恐れがあり、餌として与えたり、リクガメが誤って食べたりしないように注意しなければならない。なお同じナス科でも唐辛子やピーマン、パプリカ等の葉や若い茎は有毒成分を含まず、カルシウムを蓄積するのでよい餌となる。

食用野菜として関西地方を中心に流通する葉唐辛子は、与える際に辛味のある実の部分を除く必要があるが、カルシウム/リン比が7:1以上である。また、この葉唐辛子はカリウム、マグネシムの含有量が葉野菜のうちでもトップクラスである他、ビタミンA、ビタミンC、ビタミンE、ビタミンK等を豊富に含む。

葉野菜の給餌は床材の上にまく方法や皿で給餌する方法がある。また、外飼いの場合には餌が泥だらけにならないよう、皿やバットに入れて与えるのが一般的である。また、床面が平らであればプラ板やクリアシート等を敷き、その上に置いて与える方法もある。

餌、栄養にバリエーションをつけるために葉野菜は基本的に複数種を混ぜ込んで与えるか、いくつかをローテーションする必要がある。また配合飼料や動物質を与える場合には細かく切った葉野菜に混ぜ込むことで、えり好みしにくくなる。それでも食いが悪い場合には、好む種類の餌の比率を増やし、まずは餌を食べさせることを第一に考えることだ。そして、徐々に適切な比率に変更するとよいだろう。

欧米等の飼育書では雑食傾向がある種に少量のドッグフードやキャットフードを与えることが推奨されてい

る。また、草本・葉食で雑食傾向の低い種でも幼体の成長期や産卵後、冬眠明け等、活力の低下した個体に少量のドッグフードやキャットフード、ヒヨコやマウス等を与えるとよいと考える飼育者もいるようだ。

しかし、ドッグフードやキャットフードは「脂質が少ない」としている製品でも相対的に脂質やリンが多いことからこれらの給餌は避けたほうがよい。それよりは市販の水ガメ用の餌（雑食や動物食のカメの餌としても使用実積がある）や昆虫、ヒヨコやウズラの雛、マウス等のほうが健康を害する可能性は低いものと考えられる。

チチュウカイリクガメ属（*Testudo*）をはじめとした、草本・葉食で雑食傾向のほとんどない小型リクガメは動物質や高タンパクの餌は基本的に一生を通じて必要がないとされている。これに対しインドホシガメ *Geochelone elegans* 等、その他の中大型の種では幼体時に一部、動物質を含む餌を与えたほうが成長や生存率が高いともいわれる。

また植物質のみの餌でも多少成長は落ちるが問題なく育つ。むしろ不足するのは動物質ではなくタンパク質で、対応策としては植物性タンパク質を多く含むリクガメフードを補助的に与えれば充分であり、あえて動物質を与える必要はないという説もある。この辺りについては現在のところ明確な結論は出ていない。今後、種ごとあるいは成長段階ごとについての解明が強く望まれる。

アカアシガメ、エミスムツアシガメ、ベルセオレガメ等、雑食傾向のある種では動物質や植物性タンパク質の多いリクガメフードを補助的に利用することは適切であると考えられている。ただ

チチュウカイリクガメ属のうちでも飼育種として人気の高いヘルマンリクガメ *Testudo hermanni*。生涯を通じて植物質の餌だけを与えても健康に問題が生じるケースは少ない。

し、必要な栄養素は動物性タンパク質なのか、あるいは植物性のものをも含むタンパク質なのか、それとも動物性の脂質やビタミン類なのかはっきりとした答えは出ていない。

また与える回数や量については月1～2回少量のピンクマウス、ゆでた鶏肉（吉田・2009）を成体のアカアシガメで1個体あたり週1回50g、セオレガメ属で1個体あたり10～20g（ハイフィールド、1996）等の指標がこれまでに挙げられてきた。しかし、実際にどの程度必要なのか、あるいは成長段階や性別との関係等については未だ不明確である。

モリセオレガメやホームセオレガメはリクガメ科では動物食性が最も強い種であり、おそらくアカアシガメやベルセオレガメと比較して動物質やタンパク質の多い餌を与えるべきだが、その量や餌の種類については定説がない。

これまでの飼育経験では、これらの種は極端に偏食な個体が多く、国内輸入直後の個体では特定の生きた昆虫や小型無脊椎動物（生きたミミズやナメクジ、殺したコオロギ等）、特定の野菜（トマト、からし菜、モロヘイヤ）や果実（バナナ、キウイフルーツ、柿やその皮等）、特定のリクガメ用配合飼料や、その他のカメ用の配合飼料しか食べない個体があった。状態が落ち着けば様々な野菜や果実、昆虫、配合飼料等を食べるようになる個体もいるが、飼育の難しい種で飼育法や給餌について不明な点が多い。

リクガメ（主な種）の餌：量と給餌頻度の目安

種名	餌の種類	1回の餌の量	給餌頻度	備考
ヨツユビリクガメ（背甲長5 cm）	葉野菜	3～5 g	毎日	
（背甲長15 cm）	葉野菜	60～80 g	週3～4回	
ケヅメリクガメ（背甲長10 cm）	葉野菜	20～30 g	毎日	
（背甲長50 cm）	葉野菜	1500～2000 g	週2～3回	
オウムヒラセリクガメ（背甲長10 cm）	葉野菜・多肉植物	15～25 g	毎日	
アカアシガメ（背甲長5 cm）	葉野菜・果実か配合飼料	2～4 g	毎日	葉野菜以外は全体の2割未満
（背甲長30 cm）	葉野菜・果実か配合飼料	250～300 g	週2回	葉野菜以外は全体の1割未満
エミスムツアシガメ（背甲長10 cm）	葉野菜・果実か配合飼料	15～25 g	隔日	葉野菜以外は全体の2割未満
（背甲長40 cm）	葉野菜・果実か配合飼料	500～600 g	週2回	葉野菜以外は全体の1割未満
モリセオレガメ（背甲長15 cm）	葉野菜・果実か配合飼料か昆虫	30～45 g	週2回	葉野菜以外は全体の2～3割
インプレッサムツアシガメ（背甲長25 cm）	キノコ	200～300 g		隔日

＊個体差もあるので一応の目安と考え。餌の種類、食欲や太り具合等を見て適宜増減させる。種によっては繁殖のために、クーリングや乾燥処理（餌を減らし、水分の少ない粗食中心とする）が必要であり、その期間は餌量や給餌頻度も減らす。

摂取の手助けに一工夫が必要なことも

「水中」という特殊な環境を活動圏としている彼らを飼育しようと考えた時、餌にも工夫が必要なケースがある。量、質ともに確実に食べさせるためのテクニック、そして餌となる植物の管理についても紹介。

オオヨコクビガメ *Podocnemis expansa*

スッポンモドキ *Carettochelys insculpta*

カラグールガメ *Batagur borneoensis*

ヒジリガメ *eosemys annandalii*

植物食の水棲・半水棲種のカメはカメ目の複数の科にまたがって存在する。ナンベイヨコクビガメ科のナンベイヨコクビガメ属*Podocnemis*の中大型種、メキシコカワガメ*Dermatemys mawii*、スッポンモドキ*Carettochelys insculpta*、イシガメ科のアジアカワガメ属（*Batagur*）、カンムリガメ属（*Hardella*）、コガタセタカガメ属（*Pangshura*）、ヒジリガメ*Heosemys annandalii* 等が含まれる。

また、イシガメ科のハナガメ*Mauremys sinensis*、ヌマガメ科のスライダーガメ属（*Trachemys*）の大型種や、クーターガメ属（*Pseudemys*）の一部では幼体や雄の成体は雑食だが、成体の雌ではほぼ植物食となることが知られている。ヘビクビガメ科の中にはマゲクビガメ属（*Emydura*）

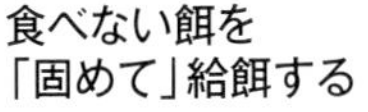

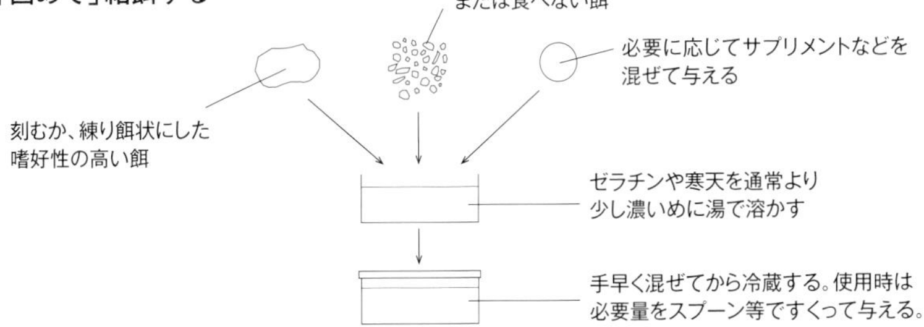

の一部等、成体では植物食傾向が強まる種はいるが雑食の範囲である。

植物食の種は幼体時には雑食性の半水棲ガメ用のペレットフードを問題なく食べるが、成体になるに従い植物食の傾向が強くなる。ただし、飼育下で動物性原料が多く、嗜好性の高い配合飼料になれてしまうと、植物性飼料への移行が難しい場合が多い。

そして植物食の種や成体で植物食が強まる種においては、成体になっても動物性原料の多い配合飼料のみで飼い続けると、甲や甲骨板の成長異常、不自然な肥満、一見健康そうな個体の急死等が起こりやすい。また、こうした死亡個体を解剖すると、脂肪肝または肝臓が変色した状態が見られるなど、内臓の周囲に異常なほどの脂肪体が形成されているケースも少なくない。

これらの種を成体でも適切に飼育するためには、幼体時からなるべく植物質の餌も与えるようにし、亜成体のうちから植物質主体の餌に徐々に切り替えて行く必要がある。

植物質を与える際にも注意が必要だ。トマトや果実類は嗜好性が高いが、これらのみの給餌では太るばかりで健全な成長は期待できないばかりか、他の餌を食べなくなってしまうことさえある。これらの種にとって好適な植物質の餌は、リクガメ類にもまた好適とされる葉野菜や野草等である。

葉野菜等と併用して配合飼料を使う場合には、雑食性の半水棲ガメ用の餌よりは、観賞魚用の植物質や藻類を多く含むペレットフード等の方がよいだろう。個体によっては植物食傾向が強いウサギやモルモット等の小動物用ペレットフード、リクガメやグリーンイグアナ*Iguana iguana*等の植物食の爬虫類用の餌も利用できる。しかしこの時、気をつけなければならないことがある。

植物食の水棲・半水棲種は基本的に水中で餌を食べる。ところが、水中での給餌を想定していないこれらの餌は、水の中では急速に水を吸ってもろくなり崩れやすいのである。

こうした水中での「餌の崩れ」を防ぐ方法として、餌を市販の粉末ゼラチンでゼリー状に固めるという方法がある。またゼラチンは動物性だが、植物質のものを使用したいという場合には藻類に由来する寒天を使用して固めるという方法もある。そして、これらに野菜や果実を含ませることで嗜好性を高めることもできる。

なお、植物質を効率よく消化するためには水温が高いか、高温になるバスキングスポットが必要である。それもあっ

オオカナダモ*Egeria densa*。原産地は南米で戦前には国内での観察記録がある。入手性も高く、餌として利用しやすい水草の1つ。

マツモ*Ceratophyllum demersum*。多年生の在来種で自然下でもしばしば見られる。この種も水ガメの餌として利用できる。

てか、こうした植物食性の強い水棲種、半水棲種には低温に弱い種が多い傾向がある。

高水温では野菜や果実、配合飼料の食べカスは腐りやすく、水質を急激に悪化させることが多いが、これらの種の中には水質の悪化に弱い種が少なくない。こうした水質悪化を避けるためにも、配合飼料をゼラチンや寒天で固める方法が有効である。なお、野菜類等を与える際には食べカスが出にくい状態で与えること、残餌を早めに取り除くことが重要である。

水質の悪化を招くことのない餌として水草は有効である。これまでカメ類の嗜好性が高く、かつ栽培の容易だった水草としてオオカナダモ*Egeria densa*、クロモ*Hydrilla verticillata*、マツモ*Ceratophyllum demersum*、ハイグロフィラ類*Hygrophila spp.*、フサモ類*Myriophyllum spp.*、チョウジタデ属（*Ludwigia*）等、観賞魚用に流通している種がある。

これらは屋外に設置した水容器（衣装ケースやポリ性の大型バケツ等でもよい）や室内でも日当たりのよい窓辺等の明るい環境に置いた水槽等で、水温の上がり過ぎに注意し、窒素化合物等の供給源（ごく少数の小魚を飼育するか、少量の水栽培用の肥料の添加を行なう）があれば容易に殖やせる（一部は保温が必要な場合もある）。その他、カメ用に利用する水つくりをかねた水槽を設置し、簡単な濾過装置をつけ、強めの植物育成用蛍光灯を点灯して、そこで栽培した水草を餌にする方法もある。

シュウ酸カルシウムを多く含むサトイモ科に属する水草はカメ類の餌として向かないとされるが、過去には熱帯魚水槽で殖え過ぎたアフリカ産の水草であるアヌビアス類（*Anubias spp.*：主に利用していたのはアヌビアス・ナナとアヌビアス・バー・バルテリィ）を飼育の難しいピータースメダマガメ*Morenia petersi*に与えたところ、嗜好性が非常に高く、なおかつ目に見えて健康状態がよくなった。

また同じくサトイモ科の観葉植物であるポトス*Epipremnum aureum*を植物食のカメの餌として利用して、幾つかの種で健康状態が良くなったこともある（ただし単食は避けるべきだろう）。

熱帯や温帯モンスーン地域の水辺にはサトイモ科の植物が多く、これらは水棲や湿地棲のカメ類によって少なからず餌とされている。これらを利用するかどうかは慎重を期す必要があるだろうし、

「ホテイアオイ」増殖のテクニック

通常の栽培方法

水位を深くしホテイアオイを水面に浮かせる

鹿沼土

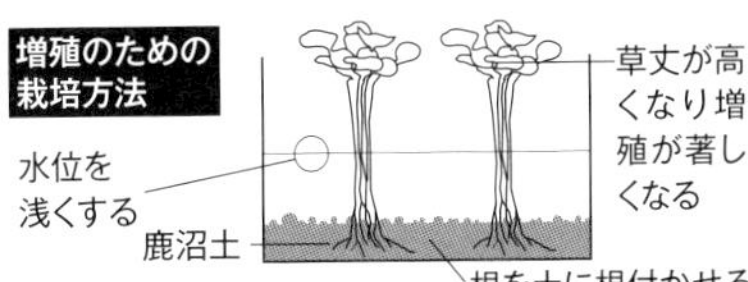

通常の栽培では底に土を敷かないケースも多い。しかし、根が土に届く水位とし、日当たりのよい場所で栽培するとフロート部分が細くなり、増殖が著しくなる。

サトイモ科の中でも、よりシュウ酸塩が多く含まれる種を与えることは避けるべきだろうが、参考までに事例を紹介した。

この他、浮遊性の植物であるホテイアオイ*Eichhornia crassipes*やアオウキクサ*Lemna aoukilusa*（在来種）も屋外の日当りの良い水場では極めて増殖力が高く、植物質を食べる半水棲、水棲のカメのよい餌となる。

ホテイアオイは充分な水深があれば葉柄にスポンジ状の浮嚢をもつ浮き草となるが、浅い水深で水底の土等に根を張った場合には浮嚢が退化し、葉先から葉柄の部分が大型化して増殖もより盛んになる。これを利用して60cm水槽や衣装ケース等の底に鹿沼土を５cmほど敷き、水深20cm程度で１～２株を投入、暖季に蓋なしで屋外の日当りのいい場所に置くと、やがて水底に根を張った状態となり、急激に増殖する。さらに葉柄の根に近い部分を残すようにして、葉先から葉柄の部分のみを収穫すれば、その後もすぐに増殖する。

ただし、ホテイアオイは南米原産の侵略的外来種で、日本国内でも各地で急激に増えて問題となっており、野外遺棄は厳禁である。不要となった場合には水を切った状態で、生ゴミ、または燃えるゴミとして捨てるとよいだろう。

動物食の水棲種・半水棲種（主な種）の餌：量と給餌頻度の目安

種名	餌の種類	１回の餌の量	給餌頻度	備考
ヒジリガメ（背甲長10 cm）	配合飼料、野菜、水草、果実	15～25 g	毎日	配合飼料は全体の６割未満
（背甲長30 cm）	配合飼料、葉野菜、水草	250～300 g	週２回	配合飼料は植物質の多いもので全体の３割未満
スッポンモドキ（背甲長10 cm）	配合飼料、野菜、果実、水草	20～30 g	隔日	配合飼料は全体の７割未満
（背甲長40 cm）	配合飼料、野菜、果実、水草	400～500 g	週1回	配合飼料は植物質の多いもので全体の４割未満
モンキヨコクビガメ（背甲長５ cm）	配合飼料、野菜、水草、果実	３～５ g	毎日	配合飼料は全体の７割未満
（背甲長30 cm）	配合飼料、野菜、水草、果実	200～300 g	週２回	配合飼料は植物質の多いもので全体の２割未満
テントセタカガメ（背甲長５ cm）	配合飼料、野菜、水草、果実	２～４ g	毎日	配合飼料は全体の７割未満
（背甲長20 cm）	配合飼料、野菜、水草、果実	100～150 g	週２～３回	配合飼料は植物質の多いもので全体の４割未満

＊個体差もあるので一応の目安と考え、餌の種類、食欲や太り具合等を見て適宜増減させる。
種によっては繁殖のために、クーリングが必要であり、その期間は餌量や給餌頻度も減らす。

カメ類の中では稀な食性を持つ

魚類や甲殻類などを餌としている肉食性のカメ。当然ながら野生下では生きている動物たちを捕食していることから、餌を視覚で捕らえるものも少なくない。配合飼料や「動かない餌」に餌付けるための方法も。

オオアタマガメ
Platysternon megacephalum

マルスッポン
Pelochelys cantorii

ブランディングガメ
Emydoidea blandingii

ヒラタヘビクビガメ
Platemys platycephala

カメ類の中で動物食、あるいはほぼ動物食という種は意外に少ない。そして、そのいずれも水棲または半水棲の種である。また、陸棲のカメ類には動物食傾向の強い雑食性の種としてシュペングラーヤマガメ*Geoemyda spengleri*等が存在するが、陸棲で動物食の種は存在しない。

動物食、またはほぼ動物食のカメ類として代表的なものには、潜頸亜目ではドロガメ科オオニオイガメ亜科の2属3種、ワニガメ属（*Macrochelys*）、オオアタマガメ*Platysternon megacephalum*、ヌマガメ科のアミメガメ属（*Deirochelys*）、ブランディングガメ*Emydoidea blandingii*、イシガメ科のニシクイガメ属（*Malayemys*）、マルスッポン属（*Pelochelys*）やコガシラスッポン属（*Chitra*）等のスッポン科

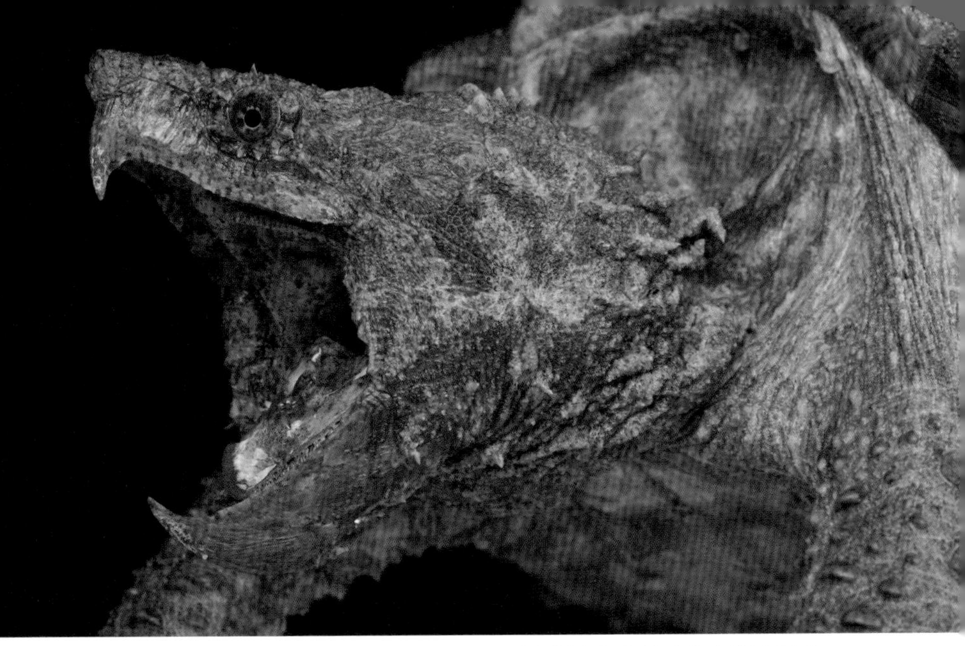

北米原産のワニガメ*Macrochelys temminckii*。甲長80㎝に及ぶ個体もおり、オオクチバスなどの大きな魚類も食べることがある。ただし、果実など植物質の餌も食べないというわけではない。

でも動物食ないしほぼ動物食である。

曲頸亜目ではヘビクビガメ科ナンベイヘビクビガメ属（*Hydromedusa*）、ヒラタヘビクビガメ属（*Platemys*）、マタマタ属（*Chelys*）、トゲヘビクビガメ属（*Acanthochelys*）、ナガクビガメ属（*Chelodina*）等の頸の長い種、クロカエルガメ属（*Mesoclemmys*）等の頭部が大型の種が含まれる。

これらのうち、オオニオイガメ亜科、ワニガメ属、オオアタマガメ、アミメガメ、ブランディングガメ、ヒラタヘビクビガメ属、トゲヘビクビガメ属は雑食性半水棲ガメ用のペレットフードや、動物食の熱帯魚のペレットフード等に容易に餌づく。

またニシクイガメ属やクロカエルガメ属等、頭部が大型の種は貝類食に特化しており、個体によっては生きた水棲巻貝に極端に偏食するが、多くは冷凍の水棲巻貝、二枚貝のむき身（生のアサリやシジミ、冷凍の流通するイガイ類）、昆虫や甲殻類等を経て、配合飼料に餌づけることができる。

それ以外では、マタマタを除いた種は生きた魚や甲殻類、餌用のカエル（アジアウキガエルやアフリカツメガエル）等の動きに反応し、長い頸を曲げた状態から頭部を素早く伸ばして射出するようにし、その際に餌をくわえるか、水ごと呑み込むようにして捕食するタイプのカメである。

これらの種は配合飼料には餌づきにくいが、匂いに反応して水底の動かない餌（死んだ魚やエビ、昆虫、ピンクマウス、ウズラ雛、カットした魚、鶏肉片等）に餌づけることは容易である。また、生きた昆虫や溺死して動かなくなった昆虫を食べることもある。

一方、マタマタは生きた魚以外にはかなり餌づきにくい種で、先

マタマタ*Chelus fimbriatus*。
泳いで餌を追いかけるようなことはほぼない。また死んだ動物を餌と認識することは少ないが、水流によって動く餌には反応することがある。

動物食の水棲・半水棲種
動かない餌に餌付けるために

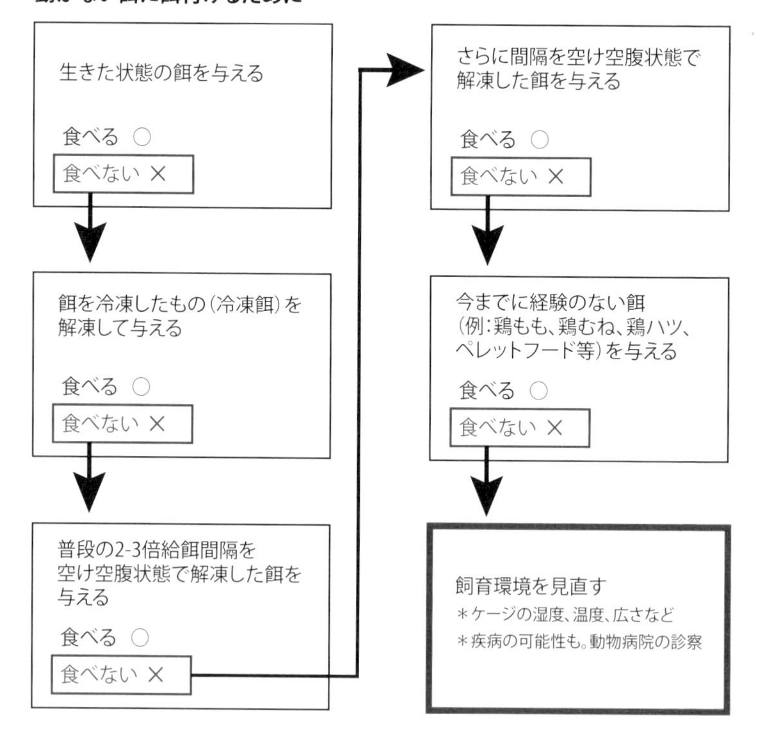

のカメ類とは異なり、頭部を射出するというよりは接近した魚に対して、大口を開けて水ごと吸い込むようにして捕食する。水面に配合飼料をばらまいた時に落下時の動きに反応して食べることはあるものの、水底の動かない餌や、魚以外の生き餌には反応しない個体が多い。

ペレットフードや生きた昆虫、甲殻類等を与えた場合には呑み込むまではしたとしても、餌と認識しないのか、吐き出してしまうことも少なくない。かつてとある個体では、空腹時には水流がある状態で水面を漂いながら動く浮上性のペレットフードを食べていたが、水流を止めると全く反応しなくなった。もっともこのようにペレットフードを食べる個体は珍しいものと思われる。

やはり、マタマタには生きた魚を生きた状態で与えるのが最もよいものと思われる。餌としては小型個体には餌用の緋メダカやグッピー、ある程度成長した個体には餌用の和金が与えられることが多いが、緋メダカやグッピーはともかく、餌用の和金は脂肪が多過ぎ、ビタミンB_1破壊酵素（サイアミナーゼ）の影響があるため、単用は避けるのが賢明である。また脂肪分の多さからか、大量に与えた場合、未消化の状態で水中に大量に吐き出すこともある。ドジョウ等を合わせて与えるのがよいだろう。

マタマタの餌として利用できる魚

利用できる餌	利用できるが単用しないほうがよい餌	利用しない方がよい餌
脂肪が少なくサイアミナーゼが多くない	脂肪が多いまたはサイアミナーゼが多い	脂肪が多くサイアミナーゼも多い
ドジョウ、生きた川魚（モツゴ、タモロコ、タイリクバラタナゴ）、メダカ（幼体向け）、グッピー（幼体向け）、冷蔵のワカサギ（小型の脂肪の少ないもの）	餌用の和金 餌用の錦鯉 冷凍ワカサギ（小） 脂ののっていない海水魚	冷凍の金魚 油ののった海水魚 冷凍ワカサギ（大）

動物食の水棲種・半水棲種（主な種）の餌：量と給餌頻度の目安

種名	餌の種類	1回の餌の量	給餌頻度	備考
アミメガメ（背甲長5 cm）	配合飼料、甲殻類、昆虫、小魚	2～4 g	毎日	配合飼料は全体の8割未満
（背甲長20 cm）	配合飼料、甲殻類、昆虫、小魚	100～200 g	週2～3回	配合飼料は全体の5割未満
オオアタマガメ（背甲長15 cm）	配合飼料、甲殻類、昆虫	50～100 g	週2回	配合飼料は動物質の多いもので全体の5割未満
スジオオニオイガメ（背甲長10 cm）	配合飼料、貝類、甲殻類、昆虫	15～30 g	隔日	配合飼料は全体の7割未満
（背甲長30 cm）	配合飼料、貝類、甲殻類、昆虫、鶏肉	300～400 g	週1～2回	配合飼料は全体の5割未満
チリメンナガクビガメ（背甲長5 cm）	小魚、甲殻類、昆虫	2～4 g	毎日	
（背甲長25 cm）	小魚、甲殻類、昆虫、鶏肉	150～200 g	週1～2回	鶏肉は全体の4割未満

＊個体差もあるので一応の目安と考え。餌の種類、食欲や太り具合等を見て適宜増減させる。種によっては繁殖のために、クーリングが必要であり、その期間は餌量や給餌頻度も減らす。

肥満傾向の多くは「給餌過多」による

ストレスの少ない飼育環境は、同時に肥満傾向を招きやすい環境でもある。「高カロリー、高たんぱく」を避けるための給餌、そしてすでに太ってしまった飼育個体を健康体にするダイエット方法を考える。

肥満は「固執」や「飽き」（48頁）と同様、飼育下において非常に重要な問題の1つと言える。飼育ケースのサイズ等により、飼育下でのカメ類の運動は制限されることが多く、必然的に野生下と比べると消費エネルギーは減少する。また、相対的に飼育下では高栄養、かつ消化しやすく不消化部位の少ない餌を与えられることが多い上、高頻度かつ大量に餌を与えられることからも、摂取カロリーは多くなる。こうしたことが重なれば、肥満が起こるのも当然であろう。

代謝が高く、成長速度の早い幼体のうちはこうした肥満傾向もあまり考慮する必要はないが、代謝が低下し成長速度も落ちる成体（特に種の最大サイズ付近に達した個体）では、肥満は深刻な問題となり得る。

カメ類は頑丈な甲をもち、その内部が不可視なため、肥満の程度が他の爬虫類より判りにくい。しかし、本来は四肢や頭部を収納できるはずの種においてそれができない場合や、四肢や頸の付け根

カメ類では肥満傾向がわかりにくいが、過度な状態では甲羅の隙間から肉がたるんで出てくる場合もある。

カメ類の肥満傾向の兆候

肥満の兆候：判断材料
・四肢を延ばした状態で、その付け根部分が大きく膨らんでいる。
・本来、四肢や頭部を収納できる種で、それらを同時に収納できない。
・腹甲に蝶番のある「ハコガメ」で、腹甲を閉じた際に肉がはみ出す。

体重・肥満管理計測表の記入例

分類:イシガメ科/種(品種等):ニホンイシガメ(京都産WC個体)/性別:雌/飼育開始:2010年8月採集/計測年:2020年

記載日	背甲長(または腹甲長)	体重	備考
4/29	18.2 cm	890 g	冬眠開け最初の計測。 冬眠中の体重減少40g。
5/20	18.2 cm	882 g	まだ食欲が上がらない。
6/10	18.3cm	895 g	先週から餌を食べ始めた。
6/30	18.5cm	931 g	体重が回復して来たがここ数日 餌食いが悪い。
7/10	18.6cm	863 g	今朝7卵を産卵した。恐らく無精卵。
7/25	18.7cm	888 g	餌をよく食べている。
8/1	18.9cm	900 g	卵は黴びたので廃棄した。
8/31	18.9 cm	916 g	特に無し

部分の肉が著しくたるんでいる場合にははっきりと肥満傾向だということができるだろう(ただし、抱卵や大量の餌を食べた直後等の場合には、一見すると肥満よりの体型になることもある)。

また、アメリカハコガメ属(*Terrapene*)やセマルハコガメ*Cuora flavomarginata*等では肉がはみ出し、背甲に対して腹甲を隙間なく閉じられないのも肥満の目安だといえる。

他に肥満傾向を知る手段として、個体ごとに甲長と体重を記録し、その推移を調べるのも有効である。一つの目安として「相似形で等質、比重も一緒なら物体の質量(体重)はその特定部位の長さの三乗に比例する」という「2乗3乗の法則」というものがある。

動物の体は成長に応じて相似形ではなく、外形が少しずつ変わっていくし、密度等も不変ではないが、体重を甲長の3乗で割った数値は肥満度の目安となる。この数値を月ごと等、期間を決めて定期的に調べることで肥満の程度の変化を把握することができる。なお、体重は摂餌や飲水、排泄、産卵等によっても大きく変動するので、こうした要因を考慮し、雌の成体であれば抱卵の可能性をも考慮しなければならない。あるいは排泄直後で摂餌や飲水を行う前に計測を行う等、計測条件を揃えることも重要である。

「肥満の解消」はカメ類の飼育相談で、質問されることの多い問題の1つである。一部の雑食傾向の強い種を除けば、リクガメ科カメ類の場合、肥満の大きな原因は餌が適切でない場合がほとんどである。

具体的には九官鳥フードやドッグフード等、明らかに使用を避けるべき餌を

葉野菜と主な配合飼料に含まれる成分の比較

餌の種類	水	タンパク質	脂肪	糖質	粗繊維	ミネラル
配合飼料						
A社リクガメペレット	主な原材料:トウモロコシ、大豆、小麦、小麦ふすま					
	10.0%以下	19.0%以上	3.0%以上	不明	18.0%以下	不明
＊2倍量の水を吸水すると	70.0%以下	6.3%以下	1.0%以下	不明	6.0%以下	不明
B社リクガメペレット	主な原材料:アルファルファ、トウモロコシ、大麦ふすま					
	8.0%以下	10.0%以下	5.0%以上	不明	7.5%以下	3.0%以上
＊2倍量の水を吸水すると	69.3%以下	3.3%以下	1.7%以上	不明	2.0%以下	1.0%以上
C社リクガメペレット	主な原材料:トウモロコシ、大豆皮、大豆、コーングルテン					
	12.0%以下	15.0%以上	3.0%以上	23.0%以下	18.0%以下	7.1%
＊2倍量の水を吸水すると	70.7%以下	5.0%以下	1.0%以上	7.7%以下	6.0%以下	2.4%
D社リクガメペレット	主な原材料:大豆皮、トウモロコシ、脱皮大豆かす、えん麦					
	12.0%以下	19.0%以上	1.0%以上	不明	18.0%以下	不明
＊2倍量の水を吸水すると	70.7%以下	6.3%以下	0.3%以上	不明	6.0%以下	不明
E社ゲル	主な原材料:タンポポ、ウチワサボテン、牧草、アルファルファ					
	8.0%以下	15.0%以上	3.0%以上	不明	30.0%以下	9.0%以下
＊3倍量の水を吸水すると(規定量)	77.0%以下	3.8%以上	0.8%以上	不明	7.5%以下	2.3%以下
野菜						
小松菜	94.1%	1.5%	0.2%	0.5%	1.9%	1.3%
青梗菜	96.0%	0.6%	0.1%	0.8%	1.2%	0.8%
モロヘイヤ	86.1%	4.8%	0.5%	0.4%	5.9%	2.1%

＊配合飼料(数値はラベルやメーカーのウェブサイトによる)の原材料は主要なもののみを示した。
葉野菜については香川(2020)の値による。ただし糖質は炭水化物から食物繊維を引いた値。

与えているというケースがある。他にも、リクガメフードの過度の給餌や、野菜類の中でもカロリーの高いカボチャや人参、芋類や果実類等を多用していることで肥満を招いていることが少なくない。

これらの配合飼料や糖質を多く含む植物質は、リクガメ類の餌として適当と考えられる葉野菜と比べるとカロリーの高さは実に数倍にも及ぶ（リクガメフードについては吸水させてから給餌した場合も含む）。そのため、飼育者側は葉野菜をメインに与え、少量のリクガメフードや葉野菜以外の野菜、芋類、果実類等を与えているつもりでも、実際には肥満傾向を招く給餌になっているという。

リクガメフードは水やぬるま湯でふやかした状態で与えるのが普通だが、嗜好性を高めるために無添加の100%の果物ジュースや野菜ジュースでふやかしてから給餌しているケースも見受けられる。こうした場合、糖質の多さからカロリーが高くなる傾向がある。

以前に聞いた事例では、葉野菜をメインに少量のリクガメフードを与えているという飼育者からの説明だったが、給餌量が多いだけでなく、嗜好性が低い配合飼料を食べさせるために、加糖の100%りんごジュースでふやかしてから与えていた。そして、これが肥満の原因と判断された。

その他、乳児用粉末ミルクや脱脂粉

ケージ環境の改善と運動によるダイエット

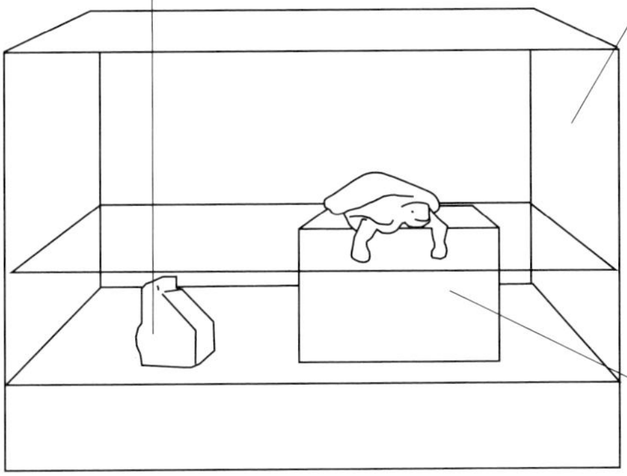

水流ポンプを設置する。
すでに設置している場合には、やや強めとする

ケージを現在より大きくするだけでも
運動量を増やすことができる

石やレンガで水場を作る。
水場と陸馬を移動することで
運動量を増やす

水棲、半水棲の種では水位を上げる、水流を発生させる等、水場の環境改善の他、陸地を設ける（あるいは大きくする）などの方法でも運動量をあげることができる。

乳をカルシウム補給のためにサプリメントで使用していた肥満例もある。これらのカロリーは葉野菜の数十倍にも上り、カルシウムとリンの比率はいずれも２：１を下回り、少量でも不適切な餌といえるだろう。

やはり、肥満解消のためのダイエットは餌の改善、給餌量や給餌頻度の減少、そして運動量の増加である。餌が不適切な場合、カロリーの高い餌の給餌をやめるか、あるいは割合を減らし、葉野菜（低カロリーとはいえ野生下の食物より栄養価は高い）や野草のみ、あるいはそれらを中心とした餌に移行することが重要である。こうした移行はスムーズに行かない場合もあるが（特に餌の種類にバリエーションがない場合）、空腹状態にして根気よく行うことである。葉野菜のみの給餌で肥満するケースは少ないが、運動不足などにより肥満傾向が生じた場合には、葉野菜でも給餌の量や頻度を減らす必要がある。

成長途上の幼体や亜成体であれば肥満傾向が生じることも少ないが、成長がほぼ止まった成体で繁殖行動をとらない場合にはカロリー摂取が過剰なことも有り得る。こうした場合には給餌量や給餌頻度を減らすだけでなく、小動物向け等に販売されている餌用の乾燥牧草や、カロリーが低く食物繊維の多い野草などを与えるとよいだろう。あるいはそれらの入手が難しい場合には、レタス等のなるべくカロリーの低い葉野菜を餌に混ぜ込む等するとよい。

リクガメ類は基本的に他のカメ類よりも低カロリーの餌を食べるため、給餌頻度を多くする必要がある。それでも水分さえ摂取できれば、健康な個体、あるいは肥満した個体が、数日の絶食により重大な影響を受けることはない。餌の変更の際には、カメを空腹状態にし、新たに餌づけるくらいのつもりで行うのがよいだろう。

餌による対策と比べると効果は薄いが、運動に関してはケージ面積を広げることも重要である。その他、夏場等の気温が適切な日に日光浴等も兼ねて屋外で運動させるという方法も効果がある。ただし温帯性の種であるならともかく、熱帯産の種等を気温が25℃以下の環境で屋外無加温のまま運動させるのは避けるべきである。

動物食や雑食のカメ類では水棲、半水棲、陸棲のいずれでも肥満の原因の大半は餌の与え過ぎによる。また、ドッグフードや脂肪分の多い肉、魚等の脂質の多い餌の過剰摂取も肥満の原因となる。

水棲、半水棲のカメ類で植物食の種や、植物食よりの雑食の傾向が強い種の場合、植物質の餌が皆無か少な過ぎることを原因とした肥満が多い。こうした場合には、いずれもリクガメ類同様、餌の改善や給餌量・給餌頻度を減らす、運動量の増加等が解決策となる。また、これらのカメ類にはペレット状のカメ用配合飼料を与えることが多いが、それらの配合飼料は高栄養で消化もよく、カメ類の嗜好性も高いため、どうしても過剰に与えてしまうことにつながる。幼体の場合には健全な成長のために毎日２～３回、食べ切る程度の餌を与えても構わないが、成長につれ餌の頻度は毎日1回、隔日、週２～３回、週１回と徐々に少なく

餌の切り替えの手順

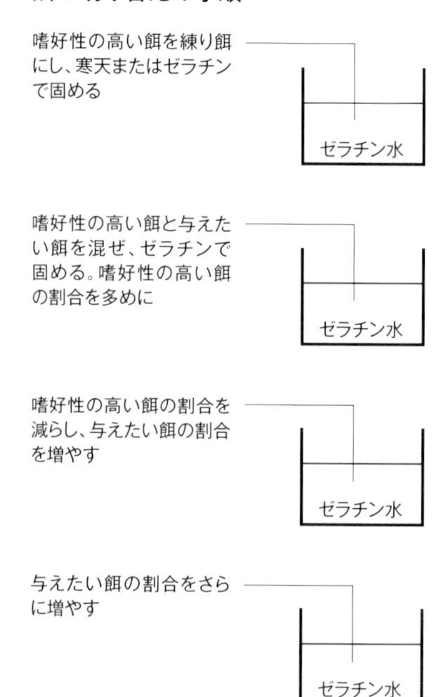

嗜好性の高い餌（A）を練り餌とし、
ゼラチンまたは寒天で固める。

⬇ **馴らす**

嗜好性の高い餌（A）と、嗜好性は低いが
栄養価の適切な与えたい餌（B）を
ゼラチンまたは寒天で固める。
この時、嗜好性の高い餌の割合を
多くする。

⬇ **馴らす**

嗜好性の高い餌（A）、嗜好性は低いが
栄養価の適切な与えたい餌（B）の割合を
徐々に変えてゆく（徐々にBの割合を高くする）。

⬇ **馴らす**

栄養価の適切な与えたい餌（B）に餌付ける。

し、餌の量や質も適切なものへと変化させてゆく必要がある。

さらにカメ類の中には幼体時には雑食傾向が強いものの、成長につれ植物食の傾向が強まる種が多い。また雌が雄よりかなり大型になる種では、雌のみその傾向がある種も存在する。こうした種に対し、幼体時に与えていた動物質の多い配合飼料やその他の動物質中心の餌を成体になっても与え続けると極端に肥満したり、突然死亡したりすることがある。

動物食の種では餌量、給餌頻度を減らすとともに、脂肪の少ない餌を与えることが重要である。例えば「餌金」として売られている和金はかなり脂肪が多いので、脂肪の少ない川魚や甲殻類、貝類等に変える。また鶏肉等を与える際、脂肪や脂質の多い皮をこまめに除去する等が有効である。

なお餌量、給餌頻度を減らすと空腹時に他個体を咬みついたり齧ったりすることもあるので、注意が必要である。こうした場合にケージサイズを変えなくても単独飼育に切り替えることは、運動スペースを広げ、消費エネルギーを増やす効果がある。こうしたケージと飼育個体数の工夫は様々な食性の種にも有効だ。また水棲種や半水棲種では水深を深め、水流を生じさせることも消費エネルギー

ナガクビガメ属（*Chelodina*）の1種。水棲種のカメ類では水深を深くしたり、水流を強くする等、運動量の増加も効果的なダイエット方法の1つとなる。

の増加、ひいては肥満の抑制につながる。

植物質を食べる雑食性の種、および植物食の種は、幼体時には雑食傾向が強いが、成長に従い植物食の傾向が強くなる。葉野菜を中心に植物質の割合を増やすのが相応しいダイエットだと言えるだろう。

給餌量や給餌頻度を意図的に減らすことはカメに負担を強いることになるのではないか。ダイエットに関連した飼育相談ではこうした質問も多いが、カメ類は活動時は代謝が上昇する一方、非活動時は代謝が低く、絶食への耐性は高い。そのため、鳥類や哺乳類のように非活動時もエネルギー消費が激しく、数日程度の絶食で急激に体重が減少することもない。特にこの傾向は幼体よりも成体で、小型種よりも大型種で強い。こうしたことから、ある程度成長した健康状態の良い個体や、あるいは肥満傾向の個体であれば、数日から数週の絶食にも耐えるし、ましてや（完全な絶食

路上を散歩するケヅメリクガメ*Centrochelys sulcata*。リクガメでは屋外の広いスペースでの飼育に切りかえるか、戸外を散歩させて運動量を増やす方法も効果的だ。

ではなく）給餌量や給餌頻度の減少程度であればさらに影響は少ない。

ただし、リクガメ科に比べると、その他のカメは脱水への抵抗力は低く、幼体や小型種を中心に注意が必要である。

むしろ絶食、および給餌量や給餌頻度の減少を行う場合の問題としては、飼育者の側の心理的な負担ということが大きい。大切に飼育しているカメが餌を欲しそうにしている様子に対して、見ぬ振りするのは多くのカメ飼育者にとって精神的負担となることだろう。この点に関して、実際には肥満傾向の給餌を改善することのカメへの負担がそこまで大きくないことを理解する必要がある。長期的なメリットを考えれば、むしろカメのためだともいえるのである。

とはいえ、飼育者側の餌をやりたい欲求は抑えるのは難しい。不消化の食物繊維等を多く含み、栄養価は低いものの腹もちがよく、嗜好性も高いカメ用のダイエットフードといったものが流通してくれればいいのにとも思う。

水質の保全が餌やりの要点

配合飼料、人工飼料が数多く流通している現在では、これらを有効に使うことで飼育者の管理負担をも軽減することができる。しかし、他にも多様な餌を使うことで栄養バランスを補う必要がある。

多くの水棲・半水棲種カメ類は雑食である。水棲・半水棲の区分については明確ではないが、本書の定義として「水棲種」は産卵時の雌や渇水時を除きほぼ上陸しない種、「半水棲種」は日光浴や採餌、移動等でしばしば上陸する種とする。

なお半水棲種の中でも陸上で採餌し、水中に移動せずとも舌を用いて餌の嚥下ができる種、あるいは浅い水場を好み、陸上での活動の多い種は「半陸棲種」として区分することもできるが、本書ではそれらも「半水棲種」として扱いたい。この広義の半水棲種には、イシガメ科やヌマガメ科の多く、スッポン科の多く、カミツキガメ属（*Chelydra*），ドロガメ亜科、アフリヨコクビガメ科、ナンベイヨコクビガメ科の一部、頸の短いヘビクビガメ科の多くが含まれる。

ちなみに、国内に生息する身近な半陸棲種にニホンイシガメ、ミナミイシガメがある．海外のイシガメ科ではマルガメ属（*Cyclemys*）、ミスジハコガメ*Cuora trifasciata*やその近縁種、オオヤマ

カメ類
水棲種・半水棲種・陸棲種

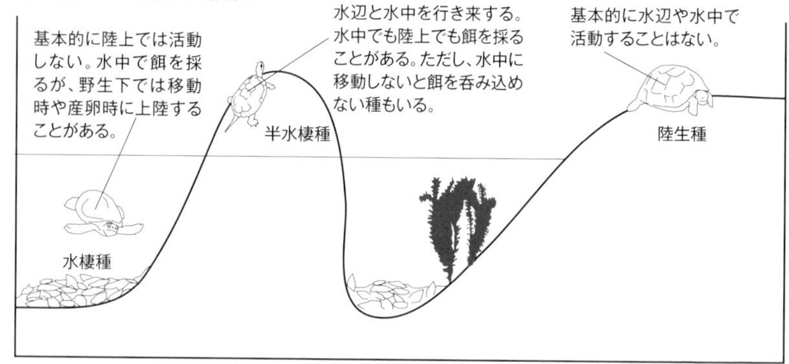

半水棲種では、陸上で捕食しても水中に移動しなければ嚥下ができないものがいる等、捕食〜嚥下の方法は水棲、半水棲、陸棲それぞれで異なる（33頁）。

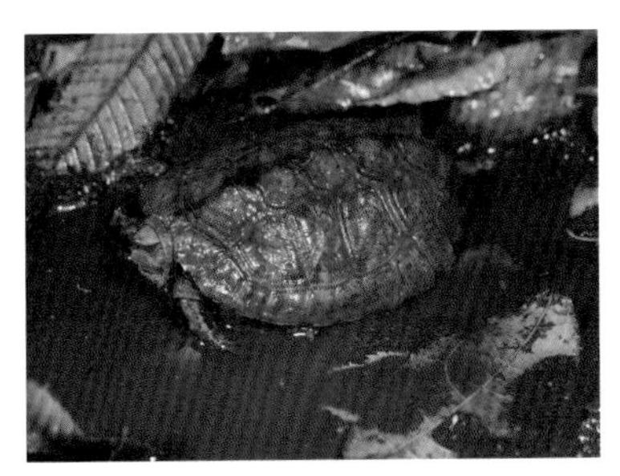
ニホンイシガメ　*Mauremys japonica*

マルガメ属の1種　*Cyclemys* sp.

ミスジハコガメ　*Cuora trifasciata*

キボシイシガメ　*Clemmys guttata*

ガメ*Heosemys grandis*、ニセイシガメ属（*Sacalia*）、ヌマガメ科のキボシイシガメ*Clemmys guttata*等はこの半陸棲種に含められる。

水棲、半水棲種の中でも「水棲傾向」にはかなり幅がある。そして、このタイプに属するカメは食性にもかなり幅があり、中には「ほぼ植物食」あるいは「ほぼ動物食」の種もいる。その他、キボシイシガメやニシキガメ*Chrysemys picta*のようにある程度成長すると雑食になるものの、幼体期にほぼ動物食という種もいる。

しかし、いずれのタイプも幼体時から半水棲種用の配合飼料に餌づく個体が多く、幼体時に生き餌や冷凍餌の昆虫、あるいは甲殻類を中心とした餌で飼育するにしても、成長の過程で半水棲種用の配合飼料に切り替えることができる。配合飼料はオールマイティの餌であるとは必ずしも言えないものの、主食とし、他に動物質、植物質の補食を与えるなど、飼育個体の嗜好に応じて食の幅をもたせるのがよい。

飼育する立場から考えれば、とにかく飼育個体が喜ぶ餌を与えるのがよいと誤解してしまうこともあるが、もちろん嗜好性の高い餌の栄養分が優れているわけではなく、適切な餌への矯正は飼育者側の義務とも言える。そして、こうした餌の切り替えは、空腹状態にしてから再度餌付けする、嗜好性の高い餌の匂いを餌付けたい餌に付けて与える、嗜好性の高い餌と必要な餌を混ぜ込んで固めた餌を与える等の方法がある。

私は現在、雑食の水棲・半水棲種に対して、数種のペレットフード（サイズが異なる同質の製品ではなく、異なるメーカーでかつ成分も異なる餌）、錦鯉の

左上:デュビア、右上:ポトス、左下:桑の葉、右下:唐辛子の葉。これらは入手性が高く、栄養価からも雑食の水棲・半水棲のカメに餌として利用できる。餌の種に幅を持たせることにより、栄養価の偏りを防ぐだけで「固執」「飽き」の防止というメリットもある。

餌、熱帯魚用のペレットフード等を主な餌としてローテーションしている。その他、補食としてイエコオロギやデュビア等の自家繁殖の昆虫（生きたものや解凍したストック）、乾燥ヨコエビ、自分で食べるために買った野菜や果実の余り、栽培している唐辛子類の葉や、友人からもらったポトスやクワの葉等を種に応じて与えている。

最近は植物食傾向の強い水棲、半水棲種を飼育していないので、先に記したような自家栽培の水草を積極的に与えることはないが、時には友人がトリミングした水草の一部をもらい、与えることがあった。

餌の頻度は孵化後１～２年程度までの幼体時には可能な限り１日２～３回食べ切る量を与えるが（食べ残しのある場合、次の餌やりでは量を減らす）、孵化から２年以上経過したところで１日１回とし、亜成体では１～２日に１回、成体では週１～３回とする。

もっともこれはあくまで1つの目安であり、生き餌や冷凍餌の余剰分を処理する場合等、普段より多い頻度で餌を与えることもあるし、逆に外出や出張等で餌やりの頻度が減ることもある。植物質よりの給餌をしている種は動物質よりの種よりも餌の頻度を多くし、体調や餌食い、気温や水温、季節等によっても適宜加減や内容を変化させることが重要だ。

雑食の水棲・半水棲種に、錦鯉や熱帯魚用の餌を与えているのはなぜか。本来は栄養バランスを考えて、これらの種に植物食性のカメ用餌を与えたいのだが、現在では陸棲種用ばかりで水棲種，半水棲種向けの適切な餌がないためである。また、錦鯉や熱帯魚用の餌を含め、いくつかの配合飼料を与えているのは、固執や飽きを予防するためである。特定の餌のみを与え続けると飼育個体がその餌に依存し、その製品が流通しなくなった場合やモデルチェンジした場合に困ることがある。これを防ぐために自家繁殖の昆虫や野菜、果実や唐辛子の葉等を与え、餌に幅をもたせて固執や飽きを忌避する必要がある。また、配合飼料のみを与え続けるのではなく、こうした補食を与えることで、カメの健康状態をよりよく保つことができる。

現在、私はヤモリ類を繁殖させており、自家繁殖の昆虫を彼らのために殖やしているのだが、その中でも過剰が出る。そこで、雑食の水棲・半水棲種のカメに生きたまま与えるか、冷凍保存して流用している。なお、餌として与える昆虫が多すぎる場合、糞に混じって排泄される不消化のクチクラ（昆虫の外骨格を構成する膜組織）が水中に漂うことがある。しかし、見た目の不衛生感に目をつむれば、カメの健康状態に問題が生じることはない。

なおコオロギ類は生きたまま給餌した場合、脱走の恐れがあるため、冷凍してから与えるのがよい。その他、ヘビ類用に解凍したネズミやヒヨコ、ウズラの雛等に余剰分が出た場合、動物食よりのカメの餌に流用することもある。

種や個体ごとに餌を変え、同一個体に対しても与える餌に可能な限り幅をもたせることのメリットとしては、ここまでに記したように1.固執や飽きの防止、2.個体の健康状態をよりよくする、3.他の飼育動物のためにストックしている昆虫等の消費等がある。

そしてこれらの他に、飼育個体がどのような餌を好むか、つまり嗜好性を把握し、かつ栄養面での考察につなげることができるという大きなメリットがある。より相応しい餌環境を与え、できるだけ個々の種に適する餌、嗜好性の高い餌を知るためにも複数の餌を与えてみることは重要な意味をもつ。

ヒメニオイガメ*Sternotherus minor*。この種をはじめとしたニオイガメ属では水底を徘徊することから、入手しやすい浮上性のペレットは好まない。そのため沈水性の餌を利用するか、観賞魚用の配合飼料を流用するとよい。

水にまく餌・陸上で与える餌の注意点

水にまく餌	陸上で与える餌
・吸水し過ぎた餌を嫌う個体も多いため、一度の給餌機会で、餌を数回に分けて与える。 ・複数個体を同じケージで飼育している場合、摂餌量の偏りを避けるために数カ所に分けてまく。 ・乾燥タイプの配合飼料や乾燥飼料は、胃で膨らみ嘔吐の原因となることがあるため、吸水前の餌を一気に呑み込ませない（水がしみ込んでから呑み込むように飼育個体の動きに注意）。 ・水が汚れ過ぎている状態で給餌しない。	・複数個体を同じケージで飼育している場合、特定の個体が餌を独占しないよう、複数の箇所に同時に給餌する。 ・乾燥タイプの配合飼料や乾燥飼料は胃で膨らみ、嘔吐の原因となることがあるので、水でふやかしてから与える。 ・配合飼料、乾燥飼料を加水して与える場合、溶け過ぎないよう形状を保った程度とする。溶けすぎると食べにくくなる他、陸上で口にくわえて水に入って呑み込むタイプの種では水汚れの原因となる。

水棲、半水棲の雑食性のカメへの給餌法には、水にまく方法と陸上で与える方法がある。一般的な手段は水にまく方法で、現在、市販されている餌の多く（乾燥飼料、ペレットフードの大部分）は浮上性だが、水底を徘徊するタイプのニオイガメ属（*Sternotherus*）等には沈水性の餌を与える必要がある。

市販されているカメ用の沈水性ペレットは種類が少ないが、観賞魚用には各種の沈水性の配合飼料が存在する。ただし吸水したペレットはもろく崩れやすくなる他、カメが食べる過程で細かいかすが散らばることが多い。そして、こうした食べかすは水質を悪化させるので、多く餌を与える場合でも一度に大量に給餌せず、何度かに分け、かつ残餌が出ないように与える注意が必要だ。また、食べかすや残餌が腐敗することで水質の悪化につながるので、ケージの底には何も敷かない方がよいだろう。

また、水中で採餌する種には広くいえることだが、配合飼料は水を吸うことに加え、採餌の際に水を一緒に飲む。これを考えても、清潔な水質を維持しておく必要がある。水質が不潔な場合には飲水せず、餌を食べない個体もいる。また餌を食べたとしても雑菌の多い汚水では、健康面に問題が生じることも少なくない。さらに小魚やエビ等を水中で生きたまま捕食させる場合、それらが健康的に生きられる程度の水質の維持が必要となる。

ケージの掃除や水換え直後に餌を与えると、すぐに糞をして水が汚れてしまうのだが、良い方法はないか、という相談を受けることがある。しかし、こうした行動が起こる場合、掃除する前の水質が悪化しており、水を飲めていない可能性が高い。なぜなら、排便は飲水の直後に行われることが多いのである。

これを考えると、ケージの掃除や水換えの過程で、一時的に適温できれいな水を入れた容器に移し、水を飲ませると排便する場合がある。きれいな水を入れた容器の中で給餌まで済ませてしまってもよいだろう。その後、ケージに移すことで水質をより長く清潔に保つことができる。

半水棲種の中には、陸上で採餌ができる種もいる。リクガメフード等、水中でばらける餌や果汁の多い果実等の水を汚す餌、あるいは粉末のサプリメントをかけた餌を与える際には、むしろ陸上での給餌が有効だ。

半陸棲種なら難なく陸上で餌を呑み込むことができるし、水中に移動してから呑み込む種でも、陸上で採餌できることもある。ただし、あまりに餌が緩い状態だと、トカゲ類と比べて舌の短いカメ類は餌を舐めとることができない。また、陸上での採餌に慣らすためには、広めの陸場をとり、「陸上で給餌が行われる」ということを学習させる必要がある。

半水棲種でも陸上の餌への反応が非常に悪い種（同種でも個体差がある場合もある）も少なくないし、完全な水棲種ではこの方法はできない。こうした場合、ゼラチンや寒天で固めて水中で与えるとよいだろう（手法については70頁参照）。

雑食の水棲種・半水棲種（主な種）の餌：量と給餌頻度の目安

種名	餌の種類	1回の餌の量	給餌頻度	備考
クサガメ（背甲長5 cm）	配合飼料、甲殻類、昆虫、貝類	2～4 g	毎日	
（背甲長15 cm）	配合飼料、甲殻類、昆虫、貝類、野菜、果実	50～80 g	週2～3回	配合飼料は全体の4割未満
アカミミガメ（背甲長5 cm）	配合飼料、甲殻類、昆虫、小魚	2～4 g	毎日	
（背甲長20 cm）	配合飼料、甲殻類、昆虫、小魚、野菜、水草	100～200 g	週2～3回	配合飼料は全体の5割未満
カブトニオイガメ（背甲長10 cm）	配合飼料、甲殻類、昆虫、貝類	15～30 g	隔日	配合飼料は全体の7割未満
ニホンスッポン（背甲長20 cm）	配合飼料、小魚、甲殻類、昆虫、貝類、野菜	100～200 g	週2～3回	配合飼料は全体の5割未満
ヒラリーカエルガメ（背甲長30 cm）	配合飼料、甲殻類、昆虫、小魚、果実、鶏肉	300～400 g	週1～2回	鶏肉は全体の4割未満
クリイロハコヨコクビガメ（背甲長15 cm）	配合飼料、甲殻類、昆虫、貝類、野菜、果実	50～80 g	隔日	配合飼料は全体の6割未満

＊雑食の水棲種、半水棲種（主な種）の餌、その量と給餌頻度の目安。個体差もあるので一応の目安と考え。餌の種類、食欲や太り具合等を見て適宜増減させる。種によっては繁殖のために、クーリングが必要であり、その期間は餌量や給餌頻度も減らす。

カメ類の餌やり | 8 | 雑食の陸棲種

幅広い食性をもつも配合飼料に適応

陸棲のカメにも様々な餌を食べる種がいる。複数の餌をローテーションしたいところだが、どの餌を組み合わせればいいのかは大きな課題の1つだ。

トゲヤマガメ
Heosemys spinosa

モリイシガメ
Glyptemys insculpta

セマルハコガメ
Cuora flavomarginata

トウブハコガメ
Terrapene carolina carolina

雑食性の陸棲種はリクガメ科を除くとイシガメ科とヌマガメ科のみに存在する。イシガメ科ではヤマガメ属（*Geoemyda*）、オオヤマガメ属（*Heosemys*）のトゲヤマガメ*H. spinosa*、ヒラタヤマガメ*H. depressa*、ハコガメ属（*Cuora*）のセマルハコガメ*C. flavomarginata*、ヒラセガメ*C. mouhotii*、モエギハコガメ*C. galbinifrons*とその近縁種、マコードハコガメ*C. mccordi*、ミツウネヤマガメ*Melanochelys tricarinata*、シロアゴヤマガメ*Leucocephalon yuwonoi*、アメリカヤマガメ属（*Rhinocclemmys*）のアカスジヤマガメ*R. pulcherrima*、ネンリンヤマガメ*R. annulata*、ミゾヤマガメ*R. areolata*、ルビダヤマガメ*R. rubida*、ケララヤマガメ*Vijayachelys silvatica*がこのタイプに含まれる。

一方、ヌマガメ科ではヌマハコガメ*Terrapene coahuila*を除くアメリカハコガメ属（*Terrapene*）とモリイシガメ*Glyptemys insculpta*がこのタイプにあたる。また、先に記した半陸棲種と呼ばれるカメ類のほとんどもイシガメ科やヌマガメ科に属している。

一口に「雑食」といってもその食性には幅があり、シュペングラーヤマガメ*Geoemyda spengleri*のように果実類等を食べながらも昆虫やミミズ、ピンクマウス等の生き餌を好むかなり動物食よりの種がいる一方で、トゲヤマガメのように幼体では植物食よりの雑食だが、成体ではほぼ完全な植物食という種もいる。

このタイプの種の大部分は、健康な状態であればアメリカハコガメ用の配合飼料（ドライフードの場合は水でふやかして与える）や、半水棲ガメやリクガメ用の配合飼料をふやかしたものに餌付けられているか、あるいはそうでなくとも容易に餌づけることができる。そして、多くは雑食性の水棲、半水棲のカメ類用の餌も食べる。

また、これらに餌づきにくい場合には、果実や昆虫等の嗜好性の高い餌を混ぜるか、ふやかす際に果実の果汁や無加糖100%ジュース等を使用するのが有効である。ただし、糖分の過剰摂取を避けるため、これらを長期にわたって常用することは避けた方がよいだろう。その他、餌のバリエーションを増やすために昆虫、果実、野菜等を補食として与えるのもよい。

なおシュペングラーヤマガメのような動物食の強い種については、ふやかした配合飼料に餌づいていない個体が多い。こうした場合には、生きた昆虫を中心に与えることもできる。昆虫をケージ内に放せば自力で捕食することも多いが、飼育個体がうまく捕食できない場合にはピンセット等で眼前に持っていくとよい。

ピンセットからの給餌に慣れ、ピンセットで目の前に示されるものが餌だと学習するようになれば、以後の餌付けは容易である。ただし昆虫のみではカルシウム等が不足する可能性があり、ダスティングやローディングによりカルシウム剤を摂取させる必要がある。またこうした作業が難しい場合、昆虫を潰したものや鶏肉のミンチ等に餌付けたのち、これらに爬虫類用のカルシウム剤（紫外線を含む照明が不充分な場合にはビタミンD_3を含むもの）を加えたものやピンクマウス、アメリカミズアブの幼虫等のカルシウムを多く含む餌を与えるとよいだろう。

植物質を好むトゲヤマガメ等では幼体は口に入るサイズのトマトやニンジン、バナナ等の果実類（大きいままだと餌と認識しないか、うまく食いつけないので注意）、成体では小松菜や青梗菜、キャベツ等の葉野菜への嗜好性が高い。また、無塩タイプのトマトジュ

無加糖の果汁では配合飼料をふやかすことで、嗜好性を高めることができる。ただし過剰な糖分は脂肪に変換され、肥満傾向につながることが恒常的利用することは避けた方がよい。

イエコオロギを捕食しようとするシュペングラーヤマガメ*Geoemyda spengleri*。この種は昆虫への嗜好性が高く、生きた餌を自力で捕食する個体も少なくない。

ースや無加糖の果汁をかけることで、あまり好まない種類の餌への餌付けがうまくいくこともある。

雑食の陸棲種の飼育においては、成体ではケージをテラリウムとし、大きめのバット等全身が浸かれるような広く浅い水場を設置するのが常道とされている。幼体の飼育の際、飼育環境は成体と同じで、サイズに合わせたミニチュア版のようなケージを使用する方法と、陸場は設けず甲の高さの1/3程度に浅く水を張ったケージを使用する方法がある。

前者の飼育方法を行う場合、陸上のカメが食べやすい高さと位置に餌皿を設

適切な餌皿・バットの目安

甲のサイズ
（トゲヤマガメ）

飼育個体の甲のサイズと比較して明らかに
小さなサイズの餌皿、バットを使用する。

餌皿（バット）のサイズ

カメが餌皿の中に入り餌がケージ内に氾濫したり、餌皿の中で糞をするなどのアクシデントを防ぐために餌皿やバットは飼育個体の甲よりも小さなものを使う。

置し、そこに給餌する方法が一般的である。餌皿はカメの甲長より小さいサイズとすることで、餌を食べようとしたカメが入り込み、体が餌まみれになったり、ふみ荒らしたり、餌が糞にまみれたりすることを避ける必要がある。また水場に餌を撒いて給餌する方法もあるが、与えられる餌のバリエーションが狭まる等の理由からよい方法とはいえないだろう。

一方、陸場を設けず浅く水を張ったケージを使用する場合、餌を水にまくことが多いが、飼育水が清潔な状態でなければならない。また、衛生面を考慮し、水中でばらけやすく、水に溶けやすい餌を使用すること等を考えると、給餌の際にはレンガ等の土台を置いて餌皿が水に浸からないようにし、餌皿から給餌するほうがよい。

雑食の陸棲種（主な種）の餌：量と給餌頻度の目安

種名	餌の種類	1回の餌の量	給餌頻度	備考
セマルハコガメ（背甲長5 cm）	配合飼料、甲殻類、昆虫、果実	2～4 g	毎日	配合飼料は全体の8割未満
（背甲長15 cm）	配合飼料、甲殻類、昆虫、果実	40～80 g	週2～3回	配合飼料は全体の5割未満
シュペングラーヤマガメ（背甲長10 cm）	甲殻類、昆虫、ピンクマウス、果実	10～20 g	週1回	
カロリナハコガメ（背甲長5cm）	配合飼料、昆虫、甲殻類、果実	2～4 g	毎日	
（背甲長12 cm）	配合飼料、昆虫、甲殻類、果実、野菜	20～40 g	週2～3回	配合飼料は全体の7割未満
モリイシガメ（背甲長20 cm）	配合飼料、昆虫、果実、野菜	100～200 g	週2回	配合飼料は全体の5割未満

＊個体差もあるので一応の目安と考え、餌の種類、食欲や太り具合等を見て適宜増減させる。
種によっては繁殖のために、クーリングや冬眠が必要であり、その期間は餌量や給餌頻度も減らす。

Column 1 コラム1

餌用コオロギの「臭い」を餌で軽減するテクニック

私がヒョウモントカゲモドキの飼育を本格的に始めたのは2002年。当初、市販のジャイアントミルワームとミルワームをダスティング、ローディングして与えていた。翌年には繁殖を視野に、幼体用にイエコオロギの繁殖に着手した。

今後、国産CB幼体を種親候補として購入し、自分もブリーダーとして販売することを考えると、コオロギを自家繁殖して主な餌にするのがよさそうに思えたからである。既にコオロギ各サイズの通信販売はあったが、沖縄への送料を考えると割高だし、夏期等に品不足になるという話も聞いていた。

私はフタホシコオロギの鳴き声が苦手で、イエコオロギを殖やすことにした。実際に繁殖を開始すると、頻繁な糞掃除は面倒で、サボればすぐに臭くなり、死亡率も上がった。そこで、何故臭くなるか考えてみた。原因はコオロギの糞と死亡個体からの悪臭だった。糞や死体を取り除かねばすぐに悪臭が発生し、死亡につながる。その臭いはアンモニア等の窒素化合物らしい。餌に含まれるタンパク質由来の過剰な窒素がそのアンモニアの大元であり、餌中のタンパク質過剰が問題なのではないかと思いついた。

市販のコオロギの餌や錦鯉の餌より低タンパクで、値段も同等、入手しやすいものをと考えた際にまず浮かんだのはカイウサギ用ペレットフード（以下ウサギ餌）である。錦鯉の餌とウサギ餌（アルファルファ主体の安価なもの）を半々で与えたところ、悪臭は若干軽減、さらに少しずつウサギ餌の割合を増やし、最終的にウサギ餌のみでの飼育により悪臭はほとんどなくなり、高密度での飼育も可能となった。また成長速度も低下せず、

悪臭に悩まされることの多いイエコオロギ。餌のタンパク質含有量を減らすことで改善できる。

死亡率も低い。さらに、底に糞が溜っても問題がなく、糞掃除はケースのリセットまで不要になった。イエコオロギ、フタホシコオロギのいずれもで同様の方法を試したが、やはり好結果が得られた。

ウサギ餌ではチモシーやイタリアンライグラス等、単子葉植物が主原料の、高級でより低タンパクな製品も試したが、コオロギの繁殖が低下した。他の改良点として、ピクタ社製の生き物用自動給水器を使用し、清潔な水を与えるとともに湿度を適切に維持した。さらに、産卵場所用のヤシ殻土を入れたプラカップに小バエが卵を産卵したり、アリが侵入したりと大きな被害があったので、鈴木製作所の特大プラケースを用意した。そして、蓋と本体の間にカブトムシ・クワガタ用の不織布製小バエ侵入防止シートを挟んで使用することにした。大きなケージで大量に繁殖させるのでなく、このプラケースを用いた小さめのケージを５～８セット程用意し、各ケージのコオロギの発育ステージを変え、幅広いサイズのコオロギを常にそろえた。このケージを真夏以外底面から薄型のプレートヒーターで保温し、ケージ内の空気を循環させた。

後に調べたところ、ウサギ餌の使用は某大学の両生類系研究室等で先行例があった。この方法を友人、知人を中心に公開し、自分で他のコオロギでの累代繁殖を行い、イエコオロギ、フタホシコオロギ、カマドコオロギ、タイワンエンマコオロギの４種で各々10世代以上の累代繁殖に成功している。保温飼育による通年繁殖が可能な種であれば、他にも同様の方法で累代繁殖可能な種がいるであろう。

feeding for Snakes

ヘビ類の餌やり

多様な捕食対象と餌に対応する頭骨の進化

地上、地中、樹上、水中と世界中の様々な環境に適応したヘビは、食性もまた多様に適応放散している。身体のサイズと比して、大きな獲物をも呑み込むことができる仕組みについても合わせて紹介する。

ヘビは現生爬虫類の主要なグループの中で、同じ有鱗目に属するトカゲ亜目に次いで種数が多い。分類学的には爬虫綱双弓亜綱鱗竜形下綱有鱗目に属し、その数は33科3789種にも及ぶ（安川・栗山，2020）。なお、これらヘビ類はトカゲ亜目のうちのオオトカゲ下目という地中棲、あるいは海棲の種から進化したとする説が現在のところ有力である。

ヘビ類の最も顕著な形態的特徴は、非常に細長い体型と四肢の欠損である。ヘビ類のうち原始的なパイプヘビ科、ニシキヘビ科、ボア科等は痕跡的に爪状の1対の後肢が残っているが、より進歩的なナミヘビ上科やコブラ上科等では後肢は完全に消失している。また、いずれの種においても前肢はない。また、彼らの

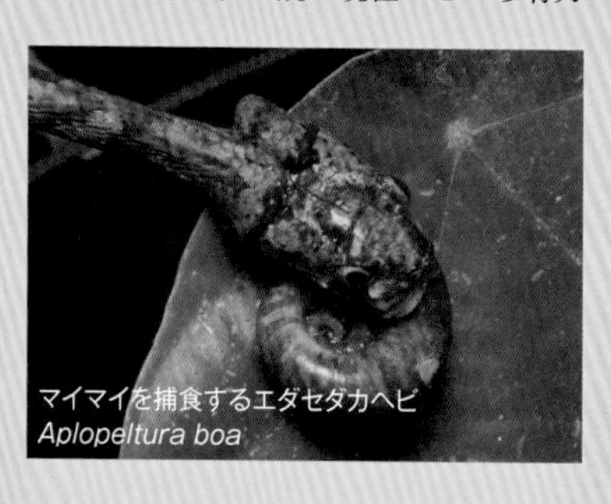
マイマイを捕食するエダセダカヘビ *Aplopeltura boa*

ナメクジクイ属の1種（*Duberria variegata*）

アカコーヒーヘビ *Ninia sebae* を捕食するモスキートサンゴヘビ *Micrurus mosquitensis*

ジムシヘビ *Scolecophis atrocinctus*

マイマイヘビ属の1種（*Dipsas indica*）

カパーヘッドの1種。
眼の右手に見える穴がピット器官

アフリカニシキヘビ *Python sebae* がリードバック（偶蹄類の1種）に巻きついて捕食する。

食性はいずれも生涯を通じて動物食であり、野生状態では（卵を含む）生きた動物を捕食する。

ヘビ類が多様な種に枝分かれしていった要因の１つに、哺乳類や鳥類等の内温性の脊椎動物、さらにヘビ類以上に種数の多いカエルやトカゲ、あるいは同じヘビ類等、外温性の脊椎動物の強力な捕食者として進化したことが挙げられる。

水棲のヘビ類では魚や甲殻類食に進化した種が多い一方、陸棲の比較的小型のヘビ類では、軟体動物（陸棲の巻貝やナメクジ等の貝類）、環形動物（ミミズの仲間）、節足動物（昆虫や甲殻類）等の無脊椎動物食に進化（特化）した種もいる。

先に記したヘビ類の外見的特徴は、捕食者としての能力を高めるための適応と見なされている。彼らは素早い速度で一度に長距離を移動することこそ出来ないが、その発達した筋肉により瞬間的な捕食行動ができる。そして、こうした特技を様々な動物を捕食するために利用している。

毒腺の発達した牙をもつ種も多く、素早い動きで獲物に咬みついて毒液を注入し、死亡させるか弱らせた状態で相手を呑み込む。また、その細長い体で巻き付いて窒息させるか、壁に押し付けて弱らせてから呑み込むといった捕食行動もしばしば見られるものだ。

またヘビ類の細長く四肢のない体型や機能的な鱗は、ヘビが地上や樹上を滑

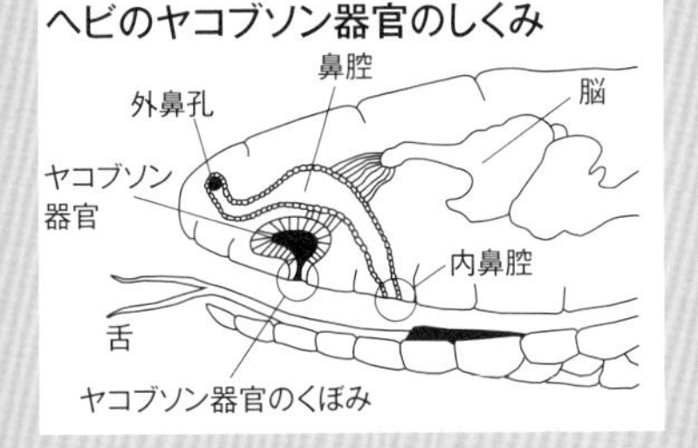

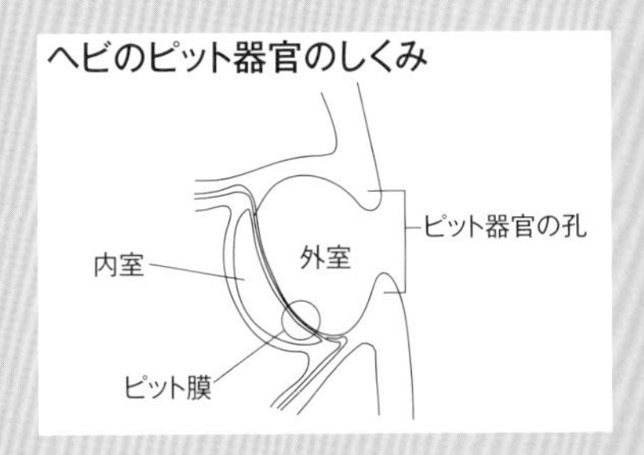

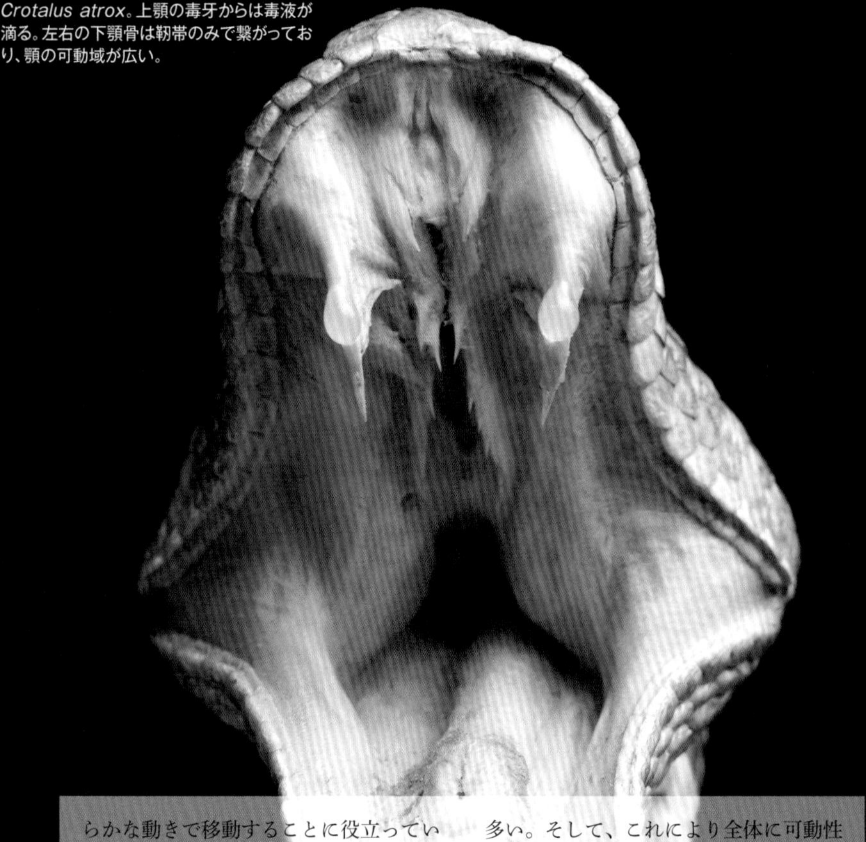

Crotalus atrox。上顎の毒牙からは毒液が滴る。左右の下顎骨は靭帯のみで繋がっており、顎の可動域が広い。

らかな動きで移動することに役立っている。水面をすべるように移動したり、水中を遊泳したりすることができる種がいる他、地中棲の種であればたくみに地中に穴を掘るが、そうではない種でも狭い穴に潜り込むことは難しくない。

ヤコブソン器官等の化学受容器や、赤外線を感知するためのピット器官をもち（いずれも89頁参照）、暗闇で活動したり獲物を捕食したりすることのできる種もいる。

ヘビ類は頭骨を構成するそれぞれの骨の要素がトカゲ類に比べると細長く軽量で、関節でつながる部分が多い。そして、これにより全体に可動性を高める方向へと進化している。特に頭骸骨と下顎骨をつなぐ方形骨は細長く、前後に大きな可動性があるだけでなく左右方向にも多少の可動性をもつ。この方形骨を可動させることにより、ヘビ類は非常に大きく口を開けることができるため、頭部のサイズと比較して非常に大きな餌、一見するととても呑み込めないように思えるサイズの餌を呑み込むことができるのである。ヘビ類の皮膚や消化管はかなり伸縮性があり、左右の肋骨が胸骨でつながらず遊離していることが胴部での大きな餌の通過を可能としている。

またヘビ類は歯が鋭く発達している

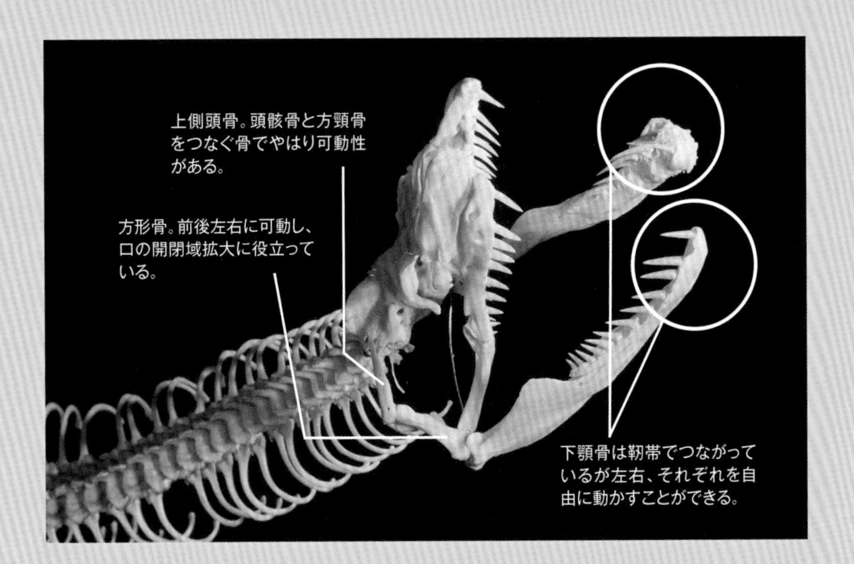

が、これはものを噛み切るために使用するものではなく、獲物に咬みついて動きを止め、さらにそれを喉の奥へと送り、呑み込むために使用するものだ。一方でヘビ類の舌は細く貧弱であり、トカゲ類のように液体を舐めとったり、リクガメ類のように固形物を喉の奥に送り込んで嚥下を助けたりすることはできない。ヘビの舌の用途は、それを盛んに出し入れすることで表面に空気中の分子を付着させ、口腔の背側にあるヤコブソン器官という化学受容器に運び、嗅覚的な刺激（匂いから得られる情報）を感じとるのに役立てられている（89頁参照）。

ヘビの下顎は左右間の縫合がなく靭帯でつながり、それぞれを独立して動かすことができる。またそれだけでなく、頭骨全体の可動性も高い。そのため、捕食の際にはまず咬みついた餌を左右一方、どちらかの顎を固定した状態でしっかりとつかみ、同時に頭部の筋肉操作のみで反対側の顎を獲物ごと前から後ろに動かすことで、前方に咬み直して固定する。

次は最初に固定した側の顎を動かして獲物を後方に送り込むという動作を繰り返す。これにより、彼らは四肢がなくとも頭部の動きのみで大きな餌を呑み込むことができるというわけだ。餌を嚥下した後、ヘビは顔の筋肉を盛んに動かす。これは呑み込む時に移動した骨や筋肉をもとの状態に戻しているのである。

樹上棲かつ昼行性のヘビ等では比較的視覚が発達している種もいる。こうした種では捕食にあたって餌が生きていること、あるいは生きているように見える動きが重要になる。しかし、多くのヘビはヤコブソン器官を用いた嗅覚や腹面から感じる振動で餌を認識する。あるいは、ピット器官をもつ一部の種では餌の温度を感知している。こうしたことから、自然界では専ら生きた動物を捕食している種であっても、冷凍した餌を解凍し、暖めたものに餌づけることはそれほど難しくない場合も多い。

ヘビ類の餌やり | 1 | 黎明から間もないヘビ飼育の歴史

情報のない時代から
情報氾濫の時代へ

長らく「嫌われ者」の代名詞のようにされてきたヘビ。そしてまた彼らを愛する趣味人が、日本国内で市民権を得たのはごく最近のことだ。餌や器具、そして何より生体の流通が充実してきた過程を振り返る。

1980年10月、かつての上野動物園水族館の様子。当時、爬虫類や両生類に対する人々の関心はまだ低かった。

1960～70年代頃にかけて日本で起きた第一次爬虫類ブームの当時、アメリカ合衆国ではコーンスネーク*Pantheropis guttatus*やカリフォルニアキングスネーク*Lampropeltis californinae*等の、ヘビ類が動物園・水族館では盛んに繁殖された。

コーンスネークは1961年には既にアルビノ（アメラニスティック）のCB個体が誕生し、その遺伝子が劣性遺伝することが確認されていた他、新しいモルフも複数の種で見つかり始めている。

一方、当時の日本では他の爬虫類同様に世界各地からヘビ類が輸入されていたものの、飼育下で殖やされた個体ではなくWC個体が中心だった。また一般の飼育者向けではなく、動物園や水族館、爬虫類展等の展示用としての輸入が中心だった。

当時、日本国内では爬虫類への関心

アメリカドクトカゲの幼体を手にする故・千石正一氏。現在でも読み継がれる名著を多数残す等、国内の爬虫類趣味の発展に貢献した。

は低く、中でもヘビ類はかなり嫌われる存在だった。輸入されたヘビを飼育する人も少しはいたが、マウスやラットはペット用や動物実験用等としてわずかに流通するだけだった。そのため、確実な入手には自家繁殖するしかなかった。また、ネズミ用の飼料やケージ等の飼育器具も手に入りやすいとはいえなかった。

私は小学生の頃からクサガメ等を飼育するかたわら、上野動物園の水族館に通い詰めた。そして、爬虫両生類の展示されていたフロアを頻繁に訪れ、ヘビやトカゲの飼育に憧れたものだ。そうした動物の飼育を親が許してくれるとは思えなかったし、餌用のネズミの自家繁殖も難しく、手を出すことはできなかった。

爬虫類展等では併設して爬虫類の生体が売られていることがあり、ペット店やデパート屋上のペットコーナーで見かけることもあったが、ヘビ類が販売されていることは珍しく、多くはニシキヘビ科やボア科等の大型の種で、とても高価だった。そうした理由から上野の水族館通いと、当時まだ頻度の少なかった爬虫類展、そして高田榮一氏や千石正一氏等の著作等で満足する他なかった。

1980年代に入ると、爬虫類専門店こそまだなかったが、熱帯魚店の一角に爬虫類コーナーがある店ができ始めた。また、観賞魚雑誌への千石正一氏らの寄稿も増え、同時に爬虫類の広告を載せる店がいくつか出てきた。しかしヘビ類の扱いは少なく、店で聞いてもマウスやラットの入手はかなり難しそうだった。こうした背景から私の関心は熱帯魚やカメ、有尾類等へと移っていった。

1980年代末からの第二次爬虫類ブームでは、「ヘビ類（特に冷凍マウスで飼育できる種）は鳴いたりせず、清潔に飼えば臭いも少なく、手間もかからない」という情報が著しく拡大解釈されて広がった。そして、爬虫類は全般的に手間がかからず飼いやすいペットであると、マ

ルースベンキングスネークのアルビノ。コーンスネーク、キングスネーク(ミルクスネーク)では早期から
アルビノ種のCB個体が広がっていった。

スコミ等で喧伝されるようになった。確かに爬虫類は餌やりの頻度は犬猫、あるいは他の小動物や小鳥より少ない。また、犬のように散歩なども必要がないが、実際には多くの爬虫類は手のかかる動物である。

1980年半ばには私の興味の中心はカメ類に移っており、このブームの当時、専ら外国産のカメ類を飼育していた。外国産のヘビ類には手を出さなかったものの、大学入学とともに一人暮らしを始めたこともあって、採集したカエルを餌にできる日本本土産のシマヘビ*Elaphe quadrivirgata*やヤマカガシ*Rhabdophis tigrinus*、ヒバカリ*Hebius vibakari*等を飼育していた。自宅アパートでのネズミの

ピンクマウスを捕食するコーンスネーク。1990年代までは、ネズミ類も現在のように簡単に入手はできなかった。

飼育は避けたかったし、市販のマウスは頻繁に購入するには高価だった。

1990年代に入ると、爬虫類の飼育ブームはさらに盛り上がり、爬虫類の専門店や、大きな爬虫類コーナーがある熱帯魚店、総合ペット店等が増える。これにより、関東や関西の大都市周辺ではマウスの入手がかなり容易になったが、地方ではまだ在庫が少なく高価で、サイズもあまりそろわなかった。

当時、私の住んでいた京都にあったある店では各サイズを取扱っているという触れ込みだったが欠品が多く、別の店では在庫は豊富だったがアダルトとピンキーの2サイズしか扱っていなかった。さらにラットは通販でしか手に入らなかったこともあって、餌が安定して入手できないことから、飼育だけでなく繁殖まで考えていた私はヘビにはとても手が出せなかった。

当時はカメよりもトカゲやヘビの人気が高かったが、ヘビを繁殖、あるいは繁殖を計画している飼育者は限られていた。そうした人々はマウスを自家繁殖しているか、金銭的に余裕のある層に限られていた。現在は国内CB個体が多数殖やされているコーンスネーク等であっても、当時は輸入品がほとんどだった。

1990年代半ば、第二次爬虫類ブームは終わるが、ブームの最中に開店した爬虫類取扱店は一部が残り、ヘビやトカゲを含む爬虫類の飼育は徐々に定着しつつあった。また、このブームで飼

爬虫類趣味の広がりと共に飼育個体の密輸など、新たな問題も生じている。上海の税関で押収されたボールパイソン*Python regius*。飼育種としてメジャーなこの種もCITES II類に指定されている。

コーンスネークの人気のモルフの1つ「キャンディ・ケイン（北米・マイアミの地域変異タイプのアルビノ）」。コーンスネークは飼育種として最も人気があるヘビの1つで、様々なカラーパターンが生み出された。

育器具や餌のマーケットが安定した。

2000年頃以降、多数の爬虫両生類の専門店が開店し、CBのヘビ類や餌、飼育器具の流通は安定した。また様々なメディアにより、飼育法や繁殖方法等の情報も広まっている。

その一方でヘビ類は最近でも新しい種のWC個体の輸入が続いており、中には比較的廉価でありながら、飼育情報が乏しいまま、あるいは未同定や誤同定の状態で売られているものもある。販売店、飼育者とも、情報に翻弄されるか、誤った情報を盲信し混乱しているものもいるようだ。また、特定種のモルフやその遺伝等について非常に詳しい知識をもちながら、適切な餌サイズを理解できていないケースも見受けられる。

こうした問題は、電子メディアでの情報の錯綜や、それぞれの飼育者が情報を未消化のまま放置してしまうことが原因の１つだと考えられる。

様々なトラブルに対して対症療法的な解決策を集めただけでは自分の飼育種の特徴は理解しづらい。その種に関する様々に異なる意見を集め、それらを精査して正確な情報を理解した上で、自分がとるべき方向性を判断できるようになることが求められる。

現在ではほぼ月に一度程度のペースで、爬虫類の即売イベントが行われている。生体をはじめ、爬虫類趣味の流通は活性化したが、飼育情報にはまだ誤解も少なくない。

いかに食べさせるか、食べない際にどうするか

基礎代謝が低く、野生下でも運動量が多くない種も多いヘビは、そもそもの餌の欲求量が多くない。しかし飼育開始から間も無く、そして何かのきっかけで全く餌を食べなくなることがある。

ヘビ類において一番飼いやすいのはコーンスネークやカリフォルニアキングスネーク等の一部のナミヘビ科の種とされる。これらは、CB個体の各種モルフが出回っている中型種で、マウスに餌付けされているケースが多く、なおかつそのマウスのみで飼育できる種である。

ラットが安定して購入できるならボールパイソン*Python regius*のような、より大型の餌が必要な種でも飼育は難しくない。ボールパイソンについては累代繁殖も進んでおり、非常に珍しいモルフを除けば、比較的安価に入手ができる。また、健康状態のよい個体を選べば飼育開始後のトラブルも減らすことができる。

一方で、流通の少ない種では情報の入手は難しく、極端に小さな種や、反対に大きな種では餌や飼育器具の入手の時点で壁にぶつかることも少なくない。例

ヘビ飼育の入門種とされやすいコーンスネーク。各種マウスのみで終生飼育ができるなど、給餌や飼育環境の問題が生じにくい点が好まれる。飼育者の生活サイクル、環境などを鑑みて飼育が可能な種であるかどうかは、その個体を飼育するに当たって最も重要な事項の1つだ。

比較的大きくなるボールパイソンだが、性格が穏やかで、餌喰いにもクセのない個体が多い。様々なモルフから選ぶことができる点からも飼育初級者向けだといえるだろう。

えばシロアリや樹上棲のトカゲ、小鳥を餌とするような種では餌の安定した入手が難しい。飼育者やブリーダーがどれくらいの数いるのか、という点も情報収集に関わるポイントで、飼育難易度に影響するといえるだろう。

餌や飼育設備、飼育環境等を考慮して飼育者が飼育できない、あるいは将来的に飼育できなく可能性がある種は飼育者も飼育個体も不幸になるということを忘れてはならない。

これを踏まえて、ヘビの飼育にあたっては、まず飼育個体の食性と最大サイズを把握しなければならない。この2つを理解することで、成長の過程において、あるいは成長しきった際にどのような餌が必要か、あるいは飼育設備が必要かを予測することができる。それを元に飼育可能かの判断の目安とするのがよいだろう。

また、同時にその種の毒性の有無も確認をしなければならない。ヘビ類では人体に重篤な危害を及ぼす有毒種も存在する。コブラ科及びクサリヘビ科の種等は動物愛護管理法で特定動物とされ、飼育が規制されており、愛玩目的での飼育は禁止されている。しかし、弱毒蛇とされ、特定動物に指定されていないナミヘビ科やマイマイヘビ科等の一部の種でも深刻な咬傷被害が知られている種もいる。咬まれた際の症状は個人の体質によって変わることを忘れてはならない。さらに、弱毒蛇に複数回咬まれることで、強いアナフィラキーショック症状が出る可能性にも留意する必要がある。

ネズミ類に餌付けられる主なヘビ(これまでの飼育事例があるもののうち代表的な種)

与える餌	ナミヘビ科	マイマイヘビ科	イエヘビ科
マウスに餌付けできる	・ククリィヘビ属 ・キリサキヘビ属 ・ハナナガヘビ属等	・ムスラナ類 ・セイブシシバナヘビ ・メキシコシシバナヘビ ・ソリハナヘビ類	―
広食性だがマウスを主食で飼育できる	・キングヘビ属の大部分 ・マダラヘビ属の一部(アカマタ、アカマダラ、サキシママダラ) ・シマヘビ ・クロオオレーサー ・バテイレーサー	・バロンコダマヘビ	・イエヘビ属全般

与える餌	マダガスカルヘビ科	アレチヘビ科
マウスに餌付けできる	―	モンペリエヘビ属
広食性だがマウスを主食で飼育できる	ブタバナスベヘビ属全般	―

ネズミ類は栄養価が高く、哺乳類食のヘビは(より大型の餌を必要とする大型種を除けば)マウスとラットのみで飼育可能である。これらのネズミ類は特にサプリメント等を利用せずに与えることができる。ヘビ類は餌を丸呑みし、全ての栄養を餌から得ているため、餌が大きすぎて呑み込めない場合を除き肉片等の部分食でなく、(解体せずに)全体食として与えるべきである。

マウスは先に記したように栄養面からも「完全食」とされ、現在では入手も容易である。そのことから、野生下では爬虫類や両生類、魚類等の外温性脊椎動物食や無脊椎動物食を餌としているヘビにマウスを餌づけるということも行われている。具体的には、「センシング」と呼ばれる魚やカエル等の粘液やミンチにした肉を塗り付ける等により、マウスに本来の獲物の匂いをつける方法、あるいは強制給餌やアシスト給餌によりマウスに馴れさせるといった方法が行われている。

しかし、野生下で食べている餌と大きく異なる餌への餌付けは、飼育個体に負担をかける可能性があり、長期的には健康を害する可能性もある。こうした「餌の矯正」を行っても長期飼育、あるいは累代繁殖ができるとなれば、概ねその種の要求を満たしたともいえようが、実際の例はあまり多くない。

かつて、野生下でミミズを食べているリュウキュウアオヘビ*Cycophiops semicarinatus*に対して、餌のミミズの安定的な入手ができず、やむなくピンクマ

モハベガラガラヘビ*Crotalus scutulatus*を捕食するコモンキングヘビ*Lampropeltus getula*。飼育下で本来の食性と全く異なる餌を与えなければならないケースも少なくない。それによる弊害については確固たる実証はなく、飼育者が実際の飼育経験の中で得ていかなければならないケースもある。

ウスのアシスト給餌、強制給餌を行ったが、ピンクマウスを与えた個体は死亡率がかなり高く、飼育を断念したという話もある。

また、ヤマカガシはカエルの体液を塗ったマウスに餌付けることができるが、カエルを餌にした個体より短命だとも聞く。いずれも少数の例に基づく話で、必ずしも非温血動物食の種をマウスに餌づけることの弊害を裏づけるものとは言えないが、何らかのトラブルが生じる可能性はある、ということは肝に命じておくべきだろう。

なおシマヘビやアカマタ*Dinodon semicarinatum*、キングスネークやミルクスネークの仲間*Lampropeltis* spp.等のように野生下で両生類、爬虫類、鳥類、哺乳類等を幅広く捕食する種や、アオダイショウ*Elaphe climacophora*、コーンスネークのように幼体時に両生類や爬虫類を好むが、成体では哺乳類や鳥類を好む種では、幼体のうちからネズミ類のみを餌として飼育して問題ないとされ、累代繁殖も行われている。ただし、種によっては孵化後間もない幼体では最小サイズのマウスのピンキーでも大きすぎる場合がある。その際には刻んで小さくしたものや体の一部を与えるか、ミンチ状にして強制給餌するピンキーポンプと呼ばれる専用器具を用いる必要がある。

ヘビ類はほぼすべての種が餌を丸呑みするが、呑み込めるサイズには上限があるだけでなく、小さ過ぎて

適切な餌のサイズの目安

ヘビはこれより大きな餌も呑み込むことができるが、内臓への負担や消化不良による吐き戻しの心配を考えると、上記のサイズが一応の目安となる。

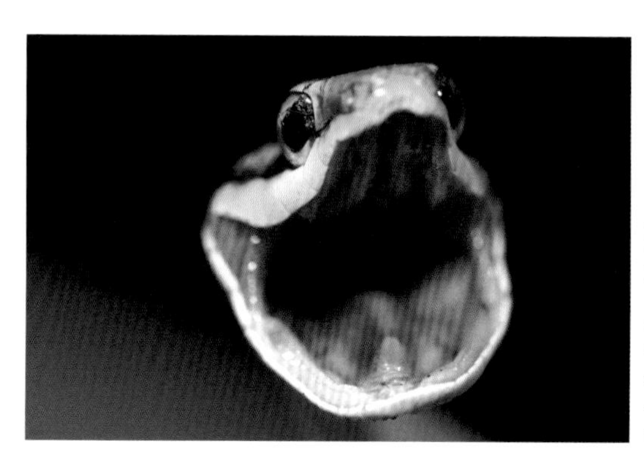

口を開けたオオパロットヘビ *Leptophis ahaetulla*。頭骨の基本的な構造は変わらないが、種や生態により上顎・下顎骨の可動域は異なる。そして、捕食可能な餌のサイズも少しずつ変わる。地上性、樹上性のヘビでは比較的可動域の広い種が多い一方、地中性のヘビではあまり大きく口を開けられない種が少なくない。

もヘビが餌として認識しないか呑み込みにくい。高田爬虫類研究所の大谷勉氏によれば、ヘビは「胴部の一番太い所と同じ太さの胴をもつネズミ」なら問題なく呑み込めるという。

ヘビの頭部の構造を考えれば、物理的にはそれより大型の個体を呑み込める可能性もある。しかし大きすぎる餌ではヘビが忌避する可能性もある他、呑み込んだ後に餌が大き過ぎて吐き戻す、あるいは消化不良や頓死の原因となる可能性もある。こうしたことを考えた時、「胴部の一番太い所と同じ太さの胴」を与える餌サイズの上限とするのは妥当だといえる。なお、この「餌の目安」はネズミ以外の餌のサイズを考える際にも参考とできる。

ヘビ類の飼育で最も多いトラブルは餌を食べないというものだろう。しかし、ネズミを食べる種で、なおかつすでに餌付けが済んでいる個体の場合には答えは案外単純で、餌のサイズが適当でない（小さ過ぎる）という場合が少なくない。

91頁で記したようにヘビは独自の顎の骨格構造により、自分の頭幅より胴の横幅がかなり大きな餌を呑み込むことができる。しかし、中には「ヘビの頭幅」と「餌の胴の横幅」が同程度、あるいはそれに近いサイズのマウスが適正サイズだと考えている人もいる。また、飼育開始時のサイズの餌を成長しても変えな

インパラを呑み込むアフリカニシキヘビ*Python sebae*。身体が大きくなるヘビでは、代謝の低い種も少なからずおり、そうした種では飼育下でも給餌から次の給餌までの間隔を空けることで肥満傾向を予防する必要がある。

い、あるいはサイズアップを誤っている飼育者も少なくない。

ヘビは餌を呑み込む際、上顎・下顎の左右の歯を同時に刺し、その状態から下顎を左右別々に動かすように呑む。この時、餌が小さ過ぎると片側の歯しか刺さらず、左右の下顎を交互にうまく操作することができない。このことがヘビにとってはかなりストレスのようである。そのため、小さな餌を繰り返し与えられるとそのサイズの餌を嫌がるようになり、やがて食べなくなることがある。こうした場合には、少しずつ餌を大きくしていけばよい。

飲みにくいほど小型の餌以外に、小さめな餌を多数与えることも個体によってはストレスになる可能性がある。明らかに満腹していない状態でも、2個体目以降は食べないか、あまり積極的に食べない個体が多い。「チェーン給餌」、つまり間を置かず連続的に餌をくわえさせ、食べさせる方法（文字通り木綿糸等でチェーン状につなげる方法もある。木綿糸は糞中に排泄される）もあるが、これを非常に嫌う個体もいる。低温による消化不良や吐き戻しに気をつける必要はあるが、ストレスを避け、消化活動を活発化する意味でも、小さな餌を複数与えるよりも大きな餌を1つだけ与える方がよい。

なおヘビを新たに飼育する場合には、それまでに与えられている餌の種類、サイズを確実に訊いておかなければ

大型、または攻撃的なヘビへの給餌

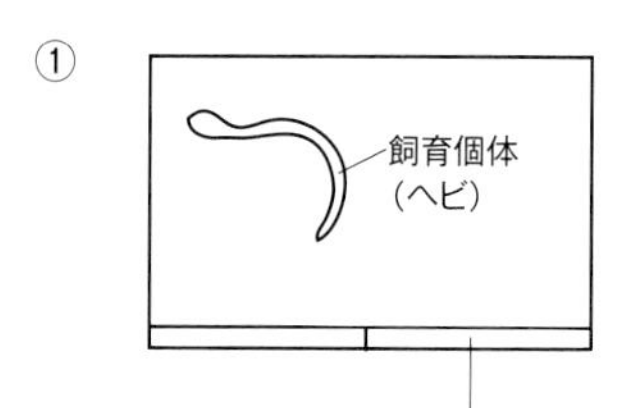

ケージの扉。ここでは「観音開き」のタイプで解説するが、「引き戸」のタイプでも基本的な作業工程は変わらない

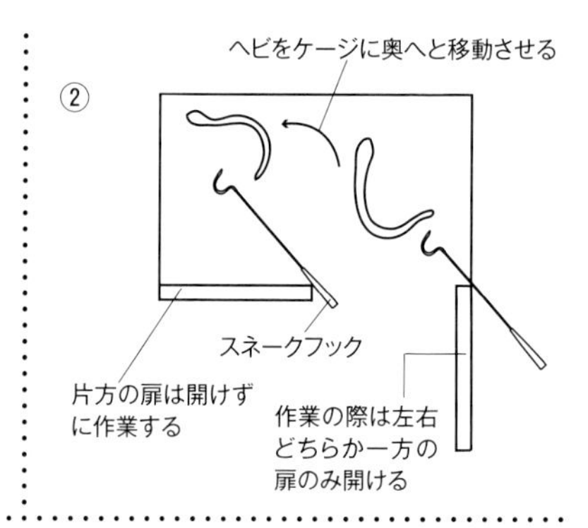

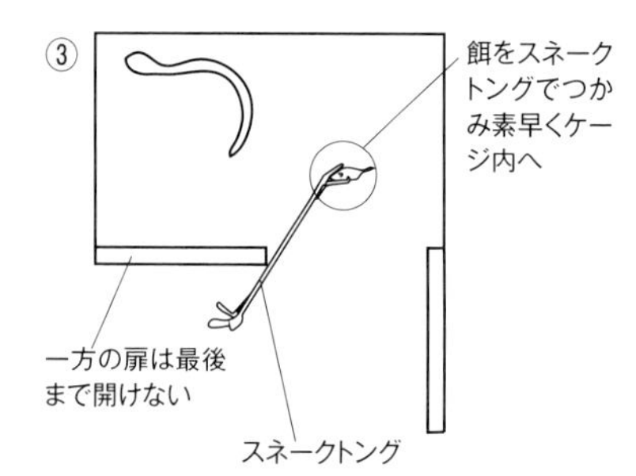

スネークフックはあらかじめ性質の穏やかなヘビで使い慣れておくこと。またヘビがS字状に体を折り曲げると、その直後に攻撃をしてくるケースが多い。こうした状態が続くようであれば、しばらく時間を置き飼育個体が落ち着くのを待つことが必要となる。

ならない。また、新たに餌付けをすることに自信がない場合には、必ず餌付けが済んでいる個体を購入したほうがよいだろう。

飼育開始直後、ケージに収納した後には、水を与える必要はあるが、給餌よりも新たな飼育環境になれさせることが重要だ。最低でも２～３日は間を空けてから餌を与えるほうが問題は少ない。

最初の給餌では、まず通常の方法を試してみる。餌の種類はそれまでに食べていたものを与えるのがよいだろう。ヘビがシェルターの外に出ていれば、ピンセットでヘビの眼前に餌を示し、ゆっくり揺らしたり、前後に動かしたりして注意を引く。ヘビが咬みついたら、そのまま巻き付くか、飲み始めるのを待って放す。咬みついた後、その後巻きつくなどの動作をしない際は、ゆっくりとピンセットを引くと逃げられないようにと力を入れることが多い。餌に咬みついて来てもすぐに放す場合もあり、何度か試して餌を呑み込もうとしない場合には置き餌に移行する。

またヘビがシェルター内にいる場合には、シェルターの入り口付近に餌を近づけ、餌に反応して食らいつくようならそのまま食べさせる。反応がなければ、入り口から少し離した位置に置いてヘビの反応を待つ。

食べない場合には１～２日空けて再度試してみるとよいだろう。多くは数回のトライで食べるようになるが、食べない場合にはヘビの健康状態や飼育環境、

一から餌付けをさせる際の手順

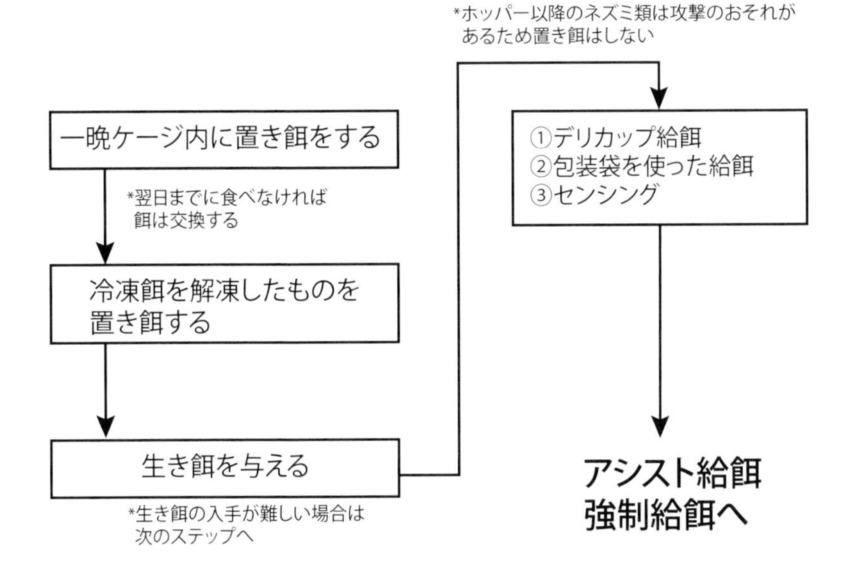

餌の種類やサイズ、さらには餌の温度（ニシキヘビ科でピット器官をもつ種では温めていない餌への反応が悪い。逆にピットのないヘビではブリーダーが常温で給餌していた場合、温めた餌を嫌うこともある）を確認することだ。

これらに問題がなく、さらに抱卵中や妊娠中、あるいは脱皮前でもない場合には、再度一から餌付けをする必要がある。なお、ボールニシキヘビ等、一部のヘビ類の成体は低温乾燥期に季節的（一時的）に食欲が低下し、繁殖モードに入るものがいる。また、温帯産の種は無加温なら秋には冬眠モードに入り餌を食べなくなるが、これらは拒食ではなく、無理に給餌をする必要はない。

口に「一から餌付けをする」といっても、1.再餌付け、2.餌付け前個体の餌付け、3.繁殖させた孵化幼体（卵黄吸収済）への餌付け等、いくつかのケースが考えられるが、どの場合でも基本的に方法は変わらない。

まず試すべき方法は、一晩ケージ内に置き餌をするというものである（翌日までに食べなかった餌は交換する）。冷凍餌を解凍したものを置き餌しても食べない場合は同種の生きた餌を試す。ただし、飼育個体が攻撃を受ける可能性のあるホッパー（眼が開き歯が生える発育段階）以降のネズミについては、置き餌をすべきではない。一方で、活のピンキー（毛がないネズミ）やファジー（短い産毛に覆われたネズミ）の置き餌に餌づけば、冷凍の置き餌への移行は難しくないだろう。

単純な置き餌で食べない場合には次のステップへと進む。「デリカップ給

マウスに餌付ける様々な方法

センシング

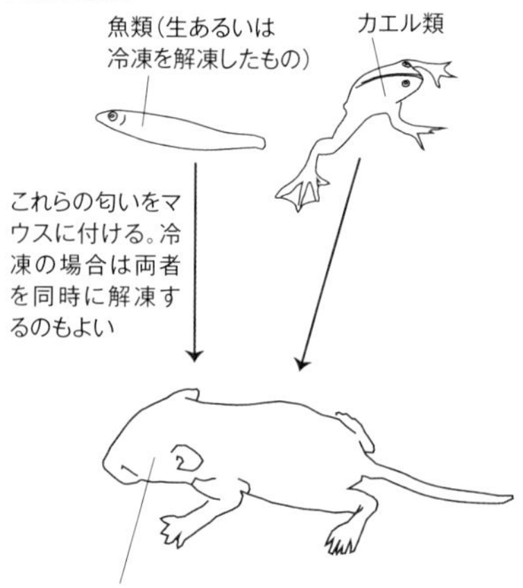

入手性からもネズミ類に餌付けられれば管理が楽だが、野生下で外温性無脊椎動物を餌とする種への餌付けは消化不良等の弊害が要る。

包装用袋を使った給餌

茶紙（未晒しクラフト紙）を原料とする製品を使う。内部を暗く保ち、ヘビがストレスなく採餌できる

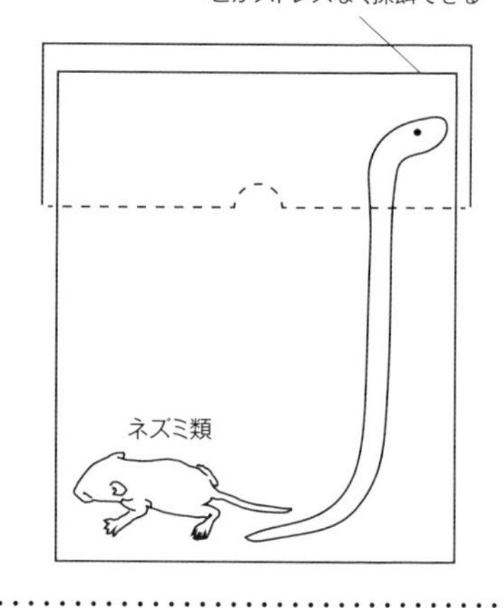

デリカップ給餌

蓋には空気孔を開ける

デリカップは雑貨店や100円ショップなどで入手ができる

「一からの餌付け」の際には野生下で食べていた餌の匂いを使って採餌を促す方法、および採餌時のストレスを軽減する方法がある。

餌」は空気孔のあるデリカップや食品保存容器、布袋等の狭い容器内に床材を敷かずにヘビを入れ、置き餌をする方法である。また、同様の方法で包装に使う茶紙（未晒しクラフト紙）の角底紙袋にヘビと餌を一緒に入れて閉じ、一晩放置する方法もある。いずれも、適温を保つと同時に脱走に配慮し、ケージ内の「ホットスポット以外」の場所に置く。

「センシング」は魚や両生類の粘液、爬虫類の脱皮殻や皮膚等で匂いを付ける方法である。この方法は、野生下で外温動物を食べている種をネズミ類に餌づける際に有効である。その他、尿臭のある使用済みのネズミ用床材の匂いを別のネズミにつける方法がある。これはマウスしか食べない個体のラット等への餌付けで有効な場合がある。

床材の匂いでセンシングする方法は、生き餌から冷凍餌への餌付けにも利用できる。こうしたセンシングは置き餌やデリカップ給餌と併用してもよい。

ここまでの方法でうまくいかない場合、次の手段としては「アシスト給餌」がよいだろう。これはヘビの頭を保定した状態で口を開けさせ（口を開けない場

アシスト給餌のテクニック

手順1 飼育個体と餌を保定する

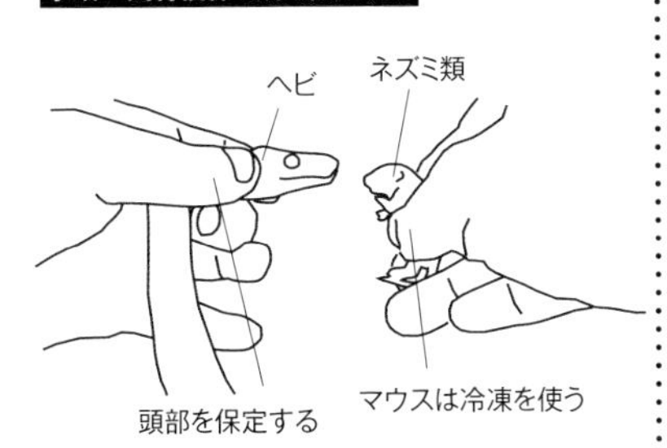

手順2 マウスを口に押し付ける

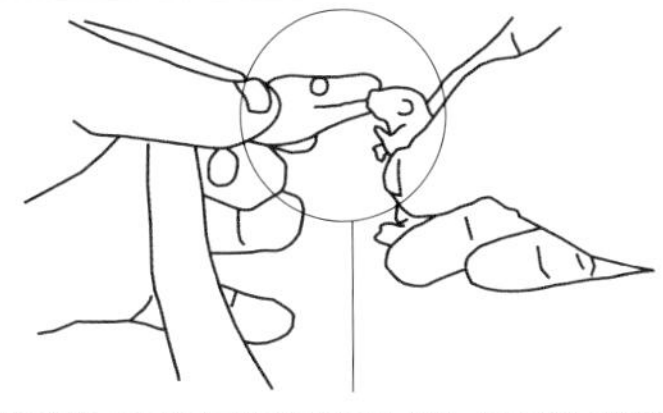

飼育個体の口にマウスをあてがう。この際、無理に口を開けさせようとしないこと。状況に応じて、薄いカードなどを差し込んで口を開けてもよい。

手順3 ヘビにマウスをくわえさせる

一度の作業で呑み込まない場合、数回繰り返すことでヘビが自ら呑もうとすることもある。根気よく餌を口にあてがうことだ。

口を開き、餌をくわると餌に巻きつく行動をする個体もいる。

これらの作業は経験のない者が行うと、口内を傷つけるなど、逆効果となることもある。初めは必ず経験者に立ち会って貰うこと。

アシスト給餌に使える道具

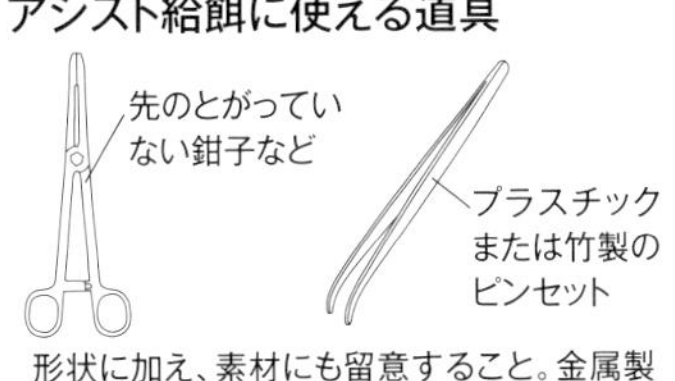

形状に加え、素材にも留意すること。金属製のものは飼育個体を傷つける可能性がある。

合は薄いプラスチックのカードや小型のシリコンゴム製のへら等を用いる）、餌をくわえさせるというものである。この状態で餌を軽く引いてみる。その際、餌を咬んで放さないようであればそのまま巻き付いたり、呑み込みにかかったりすることが多い。これを数回繰り返すことで、自発的に餌を食べるようになることが多い。

から餌づけをする際に有効な方法の１つが、生き餌を用いるというものだ。獲物の動き、体温、臭気等はヘビの本能に訴え、食欲に訴えかける効果が非常に強い。ケージのサイズ（広過ぎる等）やレイアウト（複雑過ぎる等）により捕食がうまく行かない場合もあるが、ヘビが容易に餌に接近できる環境では特に効果的である。ただし、餌が飼育個体を攻撃する可能性がある場合には必ず監視下で給餌し、もしも食べないようなら生き餌を放置せず一旦ケージの外に出さなくてはならない。

アシスト給餌や生き餌に反応を示さない場合、最後の手段として強制給餌が

強制給餌のテクニック

①ヘビの保定

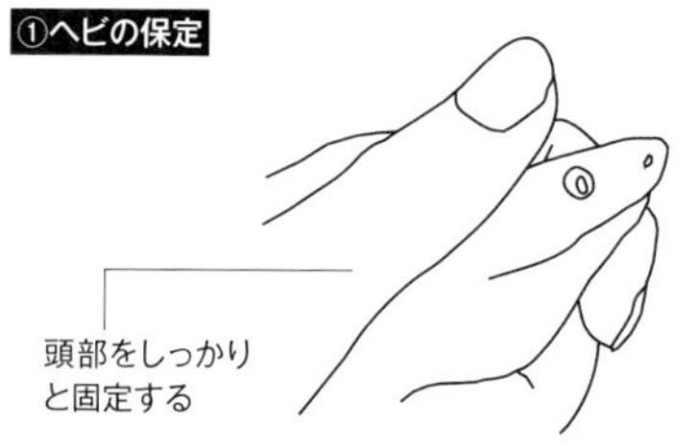

嫌がって首を振る場合などもあり、無理に掴むと深刻な事態になることも。ヘビの動きに注意を払うことが重要。

②口を開かせる

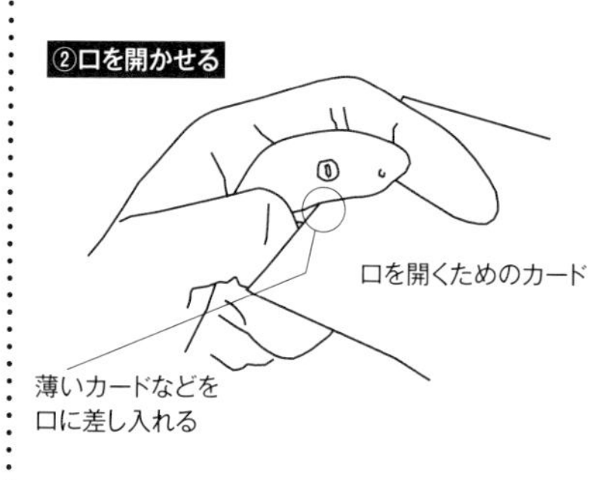

③餌を口内へ

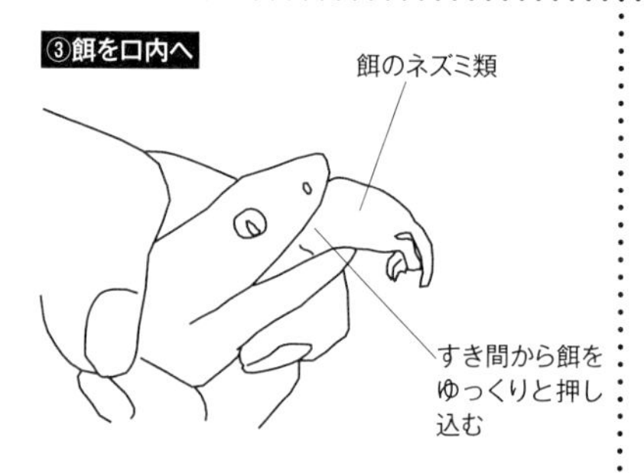

工程②で開いた口に餌を少しずつ押し入れてゆく。この時もヘビの頭の動きには注意。

④口を閉じて嚥下へ

餌が口内へ入ったら、指でさらに奥へと押し込む。餌が腹部へ送り込まれたら、餌をさらに後方へ送り込む。

**強制給餌に使う
ピンキーポンプ**

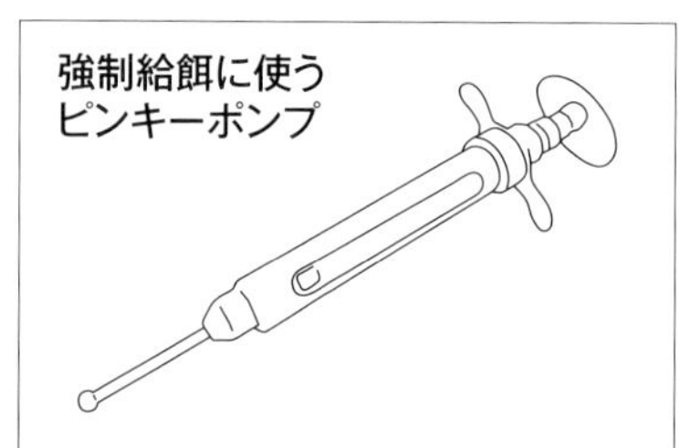

シリンダー内にピンクマウスを入れて押し出すことで、ミンチ状にし、口内へと送り込む。6,000~7,000円程度とやや高価なのと常に在庫しているショップが少ないのがネック。

ある。強制給餌はヘビへの負担が大きく、他の方法で餌を食べない場合の最終手段と考えるべきだろう。アシスト給餌より難易度は高く、可能な限り経験者に立ち会ってもらうか、少なくともやり方を見せてもらってから実行する必要がある。

具体的な方法としては、通常与えるより小さな餌（ホッパーを給餌している個体ならピンキー、アダルトを給餌している個体ならファジーが目安）を、表面を水に濡らした状態で用意し、アシスト給餌と同様の方法で口を開けさせ、くわえさせる。

この状態で呑み込み始めるようであればよいが、そうでない場合、指または先の丸いプラスチック製のピンセットや鉗子等で餌をヘビの喉の奥まで押し込んでいく。この時、口腔や食道を傷つけないよう気をつけること。

ある程度押し込んだら、指を抜き、

留守時のケージの注意点

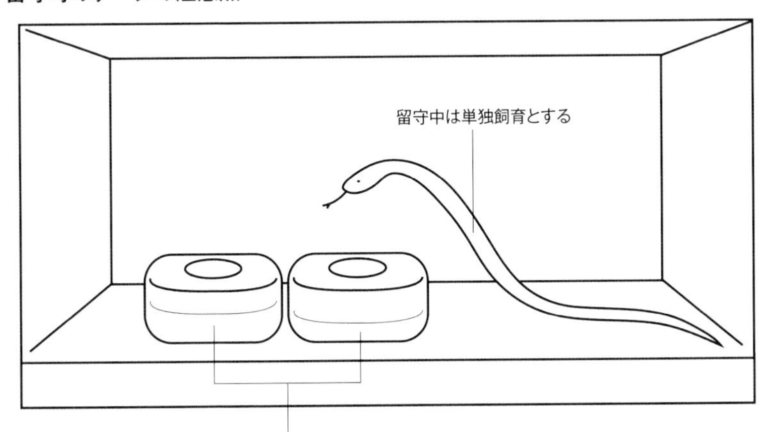

1〜2週間の留守では健康への深刻な悪影響が発生するケースは少ない。ただし、普段、複数個体を同居させている個体については、留守期間中の共食いなどを予防するために単独飼育させた方がよい。

ピンセットや鉗子を取り出し、口を閉じさせる。その後、ヘビを腹側から触って餌の位置を確認し、後方になでるようにして胃に送り込む。これで吐き戻しがなければ成功である。これを数度繰り返し、消化器等に問題がなければ、やがて自発的に餌を摂ることが多い。口の中に入れた段階で吐いたり、一度呑み込んだと思っても吐き戻しを繰り返したりする場合には消化器等に問題がある可能性があり、速やかに獣医の診断を受ける必要がある。

また、小型種にはピンクマウスをミンチ状にして強制給餌する専用器具（ピンキーポンプ）を利用するのもよいだろう。ピンキーポンプは入手が難しい場合もあるが、そうした際にはピンクマウスをミンチにし、市販のシリンジ（注射器の針を除いた部分）に適した径のビニールチューブを取り付けることで代用ができる。

なお腹部に卵黄が残っている状態の孵化幼体や、繁殖・冬眠期間に入った個体、脱皮前の個体、産卵直前の抱卵雌、妊娠中の胎生種（初期はともかく妊娠後期には餌に反応することがあっても流産防止のために餌を与えるべきではない）等は、餌を食べない場合でも強制給餌はもちろん、餌を食べさせようと無闇に弄ることは禁物である。

数日留守にする場合でも、ヘビは水さえ摂取できていれば健康を害することは少ない。1週間程度の絶食は健康的な個体なら通常あまり問題になることはないだろう。ただし、複数個体の同居飼育（ペアリングの最中を含む）をしている場合には、腹が減った個体が共食いを行う可能性がある。また、留守の初期に水入れ内に排泄した場合には水が飲めず脱水する危険性がある。そのため水の入れ替えだけは知人に頼むか、複数の水入れを設けるとよいだろう。

餌動物の脂肪量に注意をはらう

特に運動量が減少しやすい飼育下では、肥満傾向に陥りやすい。餌の頻度や量を減らすといった、直接的な減量法に加え、餌そのものに含まれる脂肪含有量をも見直す必要がある。

ヘビの飼育で発生しやすい問題の1つに肥満がある。狭いケージや運動量の不足、餌の量や頻度の過剰、餌の脂肪過多等がその原因である。ヘビの鱗の表面部分は硬いβケラチンを多く含み、折り重なるような構造をしている一方、基部は柔軟なαケラチンを多く含む皮膚からなる。

大型の餌を食べた直後には、普段は体表を覆っている硬い鱗の隙間から、鱗の基部に付属する皮膚が見えることがある。しかし、普段から軟らかな皮膚が少しでも見える状態では明らかな肥満だと言える（ただし、抱卵中や妊娠中の雌では普段からこうした状態になることもある）。

ヘビ類のうち、特に温帯に棲息する種では飼育下でも繁殖のために冬眠させることが多い。また、熱帯性種でも繁殖のためにクーリングを行い、この間には給餌を行えないことが少なくない。その他、胎生種の雌では妊娠から産仔までの期間、長期にわたり絶食をさせる場合がある。これらのケースでは、一時的に普段より太らせておくことも必要だが、それも程度の問題である。むしろ過剰に肥満した個体は繁殖率が低下することがあるので、適切な体型の維持は不可欠である。そして、肥満を防ぐためには「正常な個体を見ておくこと」、ひいては「どのような状態が異常か」を知ることが重要である。

シモフリキングヘビ*Lampropeltis holbrooki*の鱗と表皮。肥満傾向の個体では鱗と鱗の間から表皮が見えるようになることも。こうした状態では、給餌や運動量について見直す必要がある。

ネズミ類3種のサイズ、齢による数値の変動(質量100gあたり)

種(サイズ等)	カロリー(Kcal)	タンパク質(g)	脂肪(g)
マウス			
新生仔:3g未満	93	12.3	3.2
幼体:3〜10g	121	8.0	5.5
ホッパー以上:10g超	172	18.2	7.7
ラット			
新生仔:10g未満	110	12.0	4.9
幼体:10〜50g	167	16.8	8.3
ホッパー以上:50g超	216	21.0	11.1
モルモット			
新生仔:雄	173	14.9	10.1
10週齢:雄	219	16.1	14.4

カメ類やトカゲ類と同様、個体ごとに全長と体重を記録し、その推移を調べる方法は有効であるが、ヘビは特に大型個体では力が強く、なかなか真っ直ぐな体勢にすることは困難で、正確に測ることは難しい。しかし、体重だけでも計測しておくことは意味がある。

他の爬虫類にも共通することだが、ヘビ類の肥満の解消にはまず給餌の頻度や量を減らすという方法が考えられる。さらに摂餌に問題のない範囲で餌サイズを下げるのもよい方法である。

また、餌の質については脂肪の少ない餌を与える。中型以上の(哺乳類を中心とした)内温動物を食べるヘビ類の餌には、リタイアマウスやLLサイズのマウス(この表記ではリタイアマウスではないケースもあるので要注意)と呼ばれる繁殖用の種親をリタイアした個体が使用されることが多い。しかし、これらはアダルトマウスよりも脂肪分が多いことがわかっている。ブリーダーによっては、これを踏まえ、餌にリタイアマウスは使用しない、あるいはリタイアマウスは産卵や産仔直後の痩せた雌のみに使用するという人もいる。

それまでリタイアマウスを給餌してきた個体であれば、同じ数のアダルトマウスに変えることによるダイエット効果は大きい。「リタイアラット」という言葉はあまり使われないが、最大サイズのラットも成長過程のラットと比較して脂肪分が多い。

また、市販のネズミ類では適切なネズミ用の配合飼料でなく、脂肪の多いドッグフード等を与えられていることがある。こうした低質のネズミ類であるかどうかは、一定の知識のある人が解剖しなければ判断が難しい。なるべく良質なネズミやラットを生産している信頼のおける業者を見つけることが重要だ。

なお、私の知るネズミ類を自家繁殖させている爬虫類ブリーダーは、普及しているネズミ専用フードで育てた成体は脂肪が多過ぎるという。そこで、ネズミ用の飼料と比べて繊維質が多く、カロリーの低い山羊用のペレットフードを中心に給餌し、餌として安全なマウス、ラットを繁殖させている。

ファイルヘビ属(*Mehelya*)の1種。この種は「サンカクヘビ」の和名で呼ばれることもあるように脊椎骨が尖って見えるが、痩せているわけではないケースも多い。健康な状態における飼育種の体型を知ることも、健全な飼育には欠かせない。

ヘビの肥満と痩身（やせ）の目安

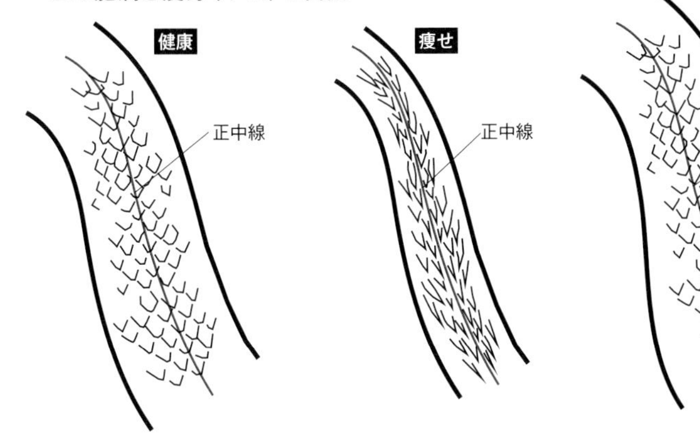

健康な状態では床に置いた状態で正中線の両側に均等に肉が付いている。鱗のつやも健康状態を知る手がかりとなる。

痩せた状態では椎骨が浮き出て目立つ。ただしp110のファイルヘビ属のように背骨が尖った種もいる。より正確に健康状態を知るためには日常の体重測定が重要だ

床に体が付いた状態で胴の下部が左右に膨らんでいる状態は明らかな肥満といえる

カエルやトカゲなど、野生下で外温性脊椎動物を食べるヘビ類にマウスやラット中心の給餌をした場合、野生下と同様の餌を与えている場合と比較して非常に太ることがある。なお、こうした代用食としてのネズミ類を与える場合、給餌頻度や量を抑え気味にしたほうが肥満は避けられる。

一方で、水棲の魚食性の種や、水辺に棲み魚の他にカエルなどの外温性脊椎動物を食べる種については、脂肪の多い餌用の和金のみを与え続けると肥満や短命につながることが少なくない。これを避けるために、和金ほど脂肪分が多くないその他の淡水魚（川魚やヒトの食用に市販されているドジョウ等）を与えるのが効果的な場合がある。また、和金を与える場合にも、（特に飼育個体が成体の場合）給餌量や給餌回数を少なめとすることで、肥満を回避し、長期飼育につなげることができる。

拒食等で餌を長期間食べていない場合を除いては、ヘビの「痩せ過ぎ」は肥満より気付きにくいケースが多い。多くのヘビ類で健康な状態では、背中の正中線上にある皮下の脊椎骨は目立たないが、これが目立つようであれば痩せ過ぎの可能性がある。

また、正中線の付近が盛り上がっているのにもかかわらず、腹部がぼってりとふくらんだ個体は痩せているのではなく老齢や疾病により筋肉が落ち始めているケースや、脂肪が多い不適切な餌で体型が崩れたケースが多い（何らかの疾病が原因で腹水がたまっている可能性もある）。

ただし、セダカヘビ科やイエヘビ科のファイルヘビ属（*Mehelya*）等、一部の種では健康な状態でも正中線付近が盛り上がっている体型のヘビもいる。確実な判別には、国内外の図鑑等で正常な体型を把握し、飼育種と比較する。

個体差も多い 食性や嗜好性

高い場所で暮らす彼らの管理では、餌やりでも「立体性」を意識しなければならないケースがある。またマウスなどの内温性脊椎動物に餌付く種もいるが、脂肪の多さによる影響は意識する必要がある。

アジアオオアオムチヘビ *Ahaetulla prasina*

ニシキトビヘビ *Chrysopelea ornata*

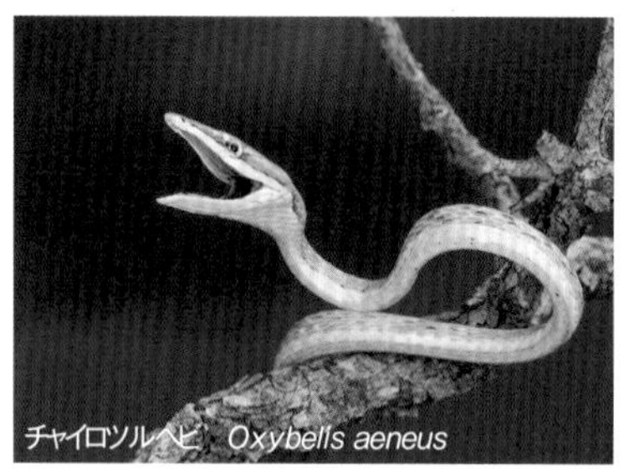
チャイロツルヘビ *Oxybelis aeneus*

バロンコダマヘビ *philodryas baroni*

樹上棲で脊椎動物食の種にはボア科のツリーボア属（*Corallus*）、ニシキヘビ科のミドリニシキヘビ*Morelia viridis*とモエギニシキヘビ*M.azurea*、ナミヘビ科のエダムチヘビ属（*Ahaetulla*）、トビヘビ属（*Chrysopelea*）、ブロンズヘビ属（*Dendrelaphis*）、ヤブコノミ属（*Philothamnus*）、キノボリナメラ属（*Gonyosoma*）、オオカミヘビ属（*Lycodon*）の一部、アメリカツルヘビ属（*Oxybelis*）等、マダガスカルヘビ科のテングキノボリヘビ属（*Langaha*）等、マイマイヘビ科のコダマヘビ属（*Philodryas*）等がいる。

これらの種の中には1.内温性の脊椎動物を食べる種、2.外温性の脊椎動物を食べる種がいる。また、幼体時には樹上棲

マウスを捕食するミドリニシキヘビ*Morelia viridis*。樹上性のヘビではマウスやラットに餌付く種も多いが、内温性脊椎動物を消化できないものもいる。ヤモリなど、野生下での餌を知るとともに、購入店でどんな餌を与えていたかを必ず確認しなければならない。

の爬虫類や両生類を主に食べ、成体になると鳥類や哺乳類を食べる種もいる。さらにそれぞれ種によって餌の好みに違いがある他、同一種でも個体差がある。そのため、飼育にあたってはその種の食性を把握するだけではなく、個体の好みをも知る必要がある。

南米産のエメラルドツリーボア*Corallus caninus*やその隠蔽種であったアマゾンエメラルドツリーボア*C. batesii*、インドネシアやパプアニューギニア、オーストラリア産のミドリニシキヘビやその隠蔽種とされるモエギニシキヘビはヘビ類の中でも収斂進化の好例とされてきた。いずれも樹上棲で、木の葉の緑色や木漏れ日に紛れる緑色の地色とその背面に点在する淡色の斑紋、木の枝に巻き付く姿は、ともすると同種のように見えることもある。長く鋭い歯が発達しており、いずれも主に鳥類を捕食していると考えられてきた。

しかし、近年の研究では野生下のエメラルドツリーボアは幼体時には樹上棲のトカゲやカエルを主に食べ、成体は小型の鳥類も捕食するものの、むしろ樹上棲の小型哺乳類を食べる割合が高いことが判ってきた。一方、野生のミドリニシキヘビ類は幼体時には樹上棲のトカゲ類を主に食べているが、成体になるとネズミ類を中心とした小型哺乳類食で鳥類は食べない。また、樹上棲の哺乳類だけでなく、細い木の根元付近に巻き付いて待ち伏せし、地上棲の哺乳類も捕食することが判っている。

このように飼育種として流通する比較的メジャーな種でも、実際の食性が誤解されているケースは珍しくない。まして情報の少ない種の食性を調べる際は国内外の文献を参照しなければ、健全な飼育を行うことはできない。

外温性脊椎動物食の種にマウス等のネズミ類を餌づけることの長期的な影響は不明な点が多い。しかしマウスはトカゲやカエルに比べるとカロリーが高いため、餌量を減らして給餌頻度を下げる必要があるだろう。樹上棲のニシキヘビ・ボア類は地上棲や地中棲の種と比べて代謝が低いので、食べる餌の量が少なく、給餌間隔も長くなる。しかしこれらの幼体にトカゲ類等を与える場合は、餌動物のカロリーの低さや幼体時の代謝の高さを考慮し、給餌量を増やして給餌間隔を短くする必要がある。

樹上棲のボア、パイソン類は温度をピット器官で感知できるため、暖めた冷凍マウス等に反応しやすい。一方でそれ以外のピット器官をもたない樹上棲のヘビ類は、外温性脊椎動物食の種を中心に、眼で生き餌の動きに反応して捕食を行うため、飼育下でも（動いている）生き餌に依存する傾向がある。しかしピンセットから餌を直接食べるようにできれば、生きた餌から冷凍餌への移行は比較的容易である。

この仲間の餌として、トカゲ類では

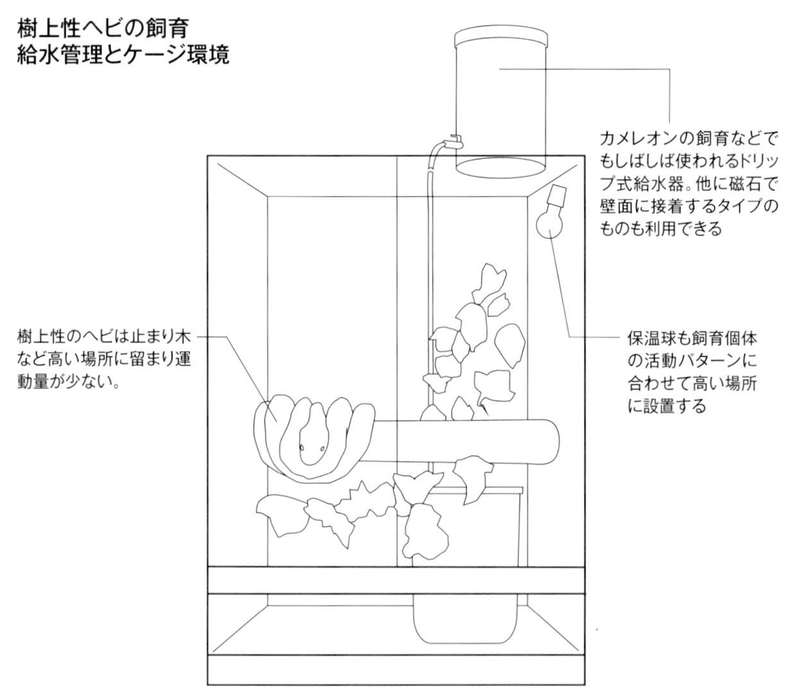

樹上性のヘビの飼育では、底面積よりも高さを意識したケージで飼育する場合が多い。給水設備や保温球なども高い位置に設置することが基本となる。

小型ヤモリが使用されることが多く、東南アジア産の種がまとめてパックされたものが「餌用ヤモリ」として販売されている。

樹上棲種の飼育ではケージ内に木の枝やそれを模したものを設置し、立体的な活動を行えるような環境とする飼育者が多いのではないだろうか。こうした環境で飼育されている個体は樹上にとどまっていることが多く、ケージの底面に降りていることは少ない。そのため、ホットスポットや水入れを底面に設置しても利用しないケースも多い。

また、消化の際、ヘビ類は体温を上げる必要があることから、樹上性のヘビの飼育ではケージの上部や側面の上方に（止まり木に直接ヒーターをとり付けると低温火傷を起こす可能性があるためやめた方がよい）熱源、すなわちホットスポットを設置する必要がある。なお、このとき全体を均一に暖めるのではなく、温度勾配ができるように注意する。

水入れについても、高さのあるケージで飼育する場合には、ケージの上部に磁石等で壁面にとりつけられる水入れ、もしくはドリップ式の給水器を設置するのがよい。

ヤモリの仲間を食べるチャイロツルヘビ *Oxybelis.aeneus*。小～中型の樹上性のヘビでは、餌用ヤモリに餌付く種も少なくない。

樹上棲のヘビ（主な種）の餌：量と給餌頻度の目安

種名	餌の種類	1回の餌の量	給餌頻度	備考
エメラルドツリーボア（全長40 cm）	ヤモリ、ウズラ雛、マウス	6～9 g	週2～3回	
（全長100 cm）	ウズラ、マウス、ラット	80～120 g	週1回	
ブチヤブコノミ（全長70 cm）	ヤモリ、カエル、マウス	20～40 g	週2回	
オオアオムチヘビ（全長120 cm）	ヤモリ、マウス	50～70 g	週1～2回	

＊個体差もあるので一応の目安と考え、餌の種類、食欲や太り具合等を見て適宜増減させる。クーリングや脱皮の期間は餌量や給餌頻度も減らす。

餌の安定供給には自家養殖や採集も

水中を活動圏としたヘビで、飼育種として流通するものは少ない。こうした背景には餌動物の特殊性もある。しかしかなり狭い食性に偏った種でも、少しのテクニックで飼育できることがある。

本書における「水棲のヘビ」の定義は、ほぼ水中で活動し繁殖期を含めて上陸しない種、産卵時以外には上陸しない種、水中で主に活動するが水辺等に時々上陸する種としている。このタイプに含まれるのはコブラ科のウミヘビ類、ヤスリヘビ科、ミズヘビ科の多くの種、ユウダ科のサワヘビ属（*Ophisthotropis*）、ヒメザリガニクイ属（*Liodytes*）、ザリガニクイ属（*Regina*）、マイマイヘビ科のウワメヘビ属（*Helicops*）、ミズモグリ属（*Hydrops*）、カッパヘビ属（*Pseudoeryx*）等である。

これらのほとんどの種は魚食性か水棲の甲殻類食で、それらのいずれかを専食している個体が多いが、中には両方を食べる種もいる。飼育下の餌としては魚類の他、ザリガニクイ属はザリガニやエビ類、ミズヘビ科のハチマキミズヘビ属（*Cantoria*）、カニクイミズヘビ属（*Fordonia*）、ツツミズヘビ属（*Gerarda*）は主にカニ類を与える必要がある。また一部の種では両生類（幼生を含む）、ミミズ等を食べた記録もある。食性についての情報が全くない種も

ジョオウザリガニクイ*Regina septemvittata*。泳ぎは達者だが、完全水棲種ではなく、水辺の陸でも活動する。脱皮したザリガニをほぼ専食するため飼育は容易ではないが、過去には次頁の図で紹介するテクニックにより、長期飼育に成功したという事例もある。

甲殻類を脱皮させる

カニ類

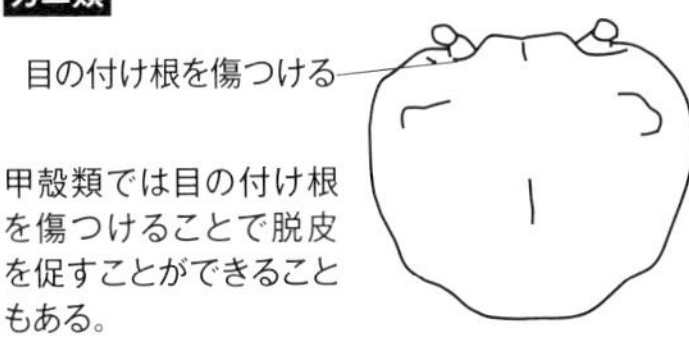

ザリガニ類

おり、ナメクジやヒル、水生昆虫等を食べる可能性もある。

水棲のヘビ類の給餌については、いうまでもなく餌となる魚や甲殻類等のコンスタントな入手が可能か、がもっとも重要となる。またこれらの種では生き餌以外への反応が非常に悪いケースが多く、ケージ内で動き回る餌にのみ反応して捕食する個体が大半である。さらに夜行性ということもありなかなか人が見ている前では捕食しない個体も多く、生き餌を投入して放置し、採餌はヘビ任せということも少なくない。こうしたことを考えると、餌となる魚や甲殻類が餌としての投入後もしばらくは活動できるだけの水質や環境が維持されていなくてはならない。また、飼育水が飲み水にもなることからも、水の汚れには注意が必要である。

海産や汽水産の種であれば、飼育水の高い塩分濃度を嫌う金魚やドジョウ等の淡水魚は使いにくいがメダカやグッピー、ウグイ（ハヤ）の仲間等はそれらに比べれば耐塩性がある（ただし純海水中では長生きしない）。食用の活魚として販売される海水魚のうち小型のものも利用できるが、餌用に売られている淡水魚より高価なことを考えると使いづらい。コンスタントな入手には自家採集という方法もある。

甲殻類ではサワガニ、アメリカザリガニ、淡水棲のエビ類等は甲殻類食の種の餌として利用しやすい。ただし、甲殻類食の種の中には「脱皮後の柔らかい個体」への嗜好性が高い種も多い。そのような脱皮直後の甲殻類をコンスタントに用意するのは現実的とはいえない。ただし、甲殻類は目の付け根の部分を傷つけることで脱皮により眼を脱皮させようとすることがある。かつてこうした方法で脱皮させたザリガニをコンスタントに用意し、ザリガニクイの仲間を飼育しているという人がいた。

なお餌用に採集した魚や甲殻類等を使用する場合、それらが寄生虫の中間宿主や、媒介者である可能性も考慮しなければならない。

水棲のヘビ（主な種）の餌：量と給餌頻度の目安

種名	餌の種類	1回の餌の量	給餌頻度	備考
ジョオウザリガニクイ（全長40 cm）	脱皮したてのザリガニ、淡水エビ	15〜35 g	週2〜3回	
ジャワヤスリヘビ（全長100 cm）	ドジョウ、川魚、金魚	150〜300 g	週1回	
シナミズヘビ（全長50 cm）	小魚、カエル、オタマジャクシ	20〜40 g	週1〜2回	

＊個体差もあるので一応の目安と考え、餌の種類、食欲や太り具合等を見て適宜増減させる。脱皮期間中は餌量や給餌頻度も減らす。

餌動物の入手が飼育へのカギ

市販の餌を利用できないケースも多いことから、難易度は高いグループだろう。餌をどうやって日常的に入手するかが一番のポイントになるが、餌の繁殖を自ら行うことができれば、飼育ができる種もいる。

スベアオヘビ
Opheodrys vernalis

コモンソノラヘビ
Sonora semiannulata

フェルマンビユサソリクイ
Stenorrhina freminvillei

オオモンカギバナヘビ
Ficimia publia

無脊椎動物食のヘビはその食性からいくつかのグループに分けることができる。メクラヘビ下目は地中棲で主にシロアリやアリ（幼虫や蛹を好むが、成虫や卵も食べる）を食べており、大型のものは他の昆虫やクモ、ミミズ類をも食べる。

タカチホヘビ科、ミジカオヘビ科やナミヘビ科のヒメヘビ属（*Calamaria*）やアオヘビ属（*Cycophiops*）等は地表棲か半地中棲で、ミミズを主食とする。

マイマイヘビ科の一部やセダカヘビ科等は樹上棲や地表棲で、陸産の巻貝やナメクジを専食する。

ナミヘビ科のヒメレーサー属（*Eirenis*）、アメリカアオヘビ属（*Opheodrys*）、ソノラヘビ属（*Sonora*）、カギバナヘビ属（*Ficimia*）、サソリクイ属（*Stenorrhina*）、

餌へのカルシウム添加

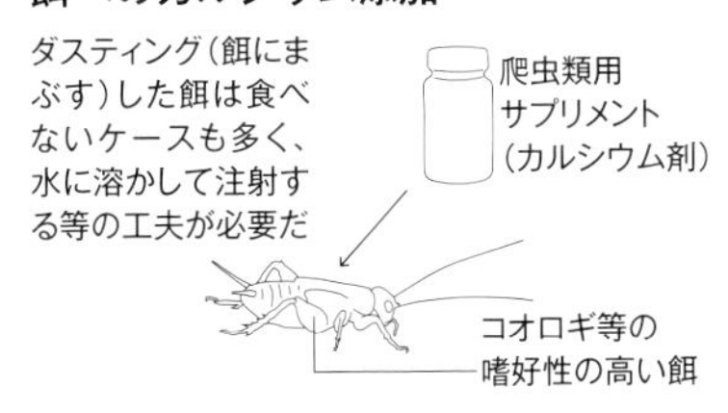

ジムシヘビ*Scolecophis atrocinctus*や、モールバイパー科のムカデクイ属(*Aparallactus*)は地上棲や樹上棲で昆虫やクモ、サソリ、ムカデ等の陸棲の節足動物を主に食べている。これらのうち、サソリクイ属はサソリを、ジムシヘビやムカデクイはムカデをそれぞれほぼ専食することが知られている。

無脊椎動物食のヘビの食性は、野生下で餌としている特定の無脊椎動物に特化した種が多く、他の入手しやすい餌動物に餌づけるのが困難なケースが少なくない。そのため、餌動物の定期的な入手が飼育の第一条件となる。

比較的入手がしやすいミミズ類を餌としている種では、釣り餌を利用できる場合もあるが、市販のミミズを好まない種やもっと大型のミミズを必要とする種が多い。自家採集で補うにも限界があり、サソリやムカデ、カタツムリ等、自家繁殖が困難な種も多い。昨今は冷凍を含め、餌用に市販される無脊椎動物(アロワナ用の冷凍ムカデ等)の種類が増えたが、生き餌以外に餌づきにくい種もいる。また、これらの餌動物が寄生動物の侵入源になる可能性もある。

昆虫食もしくは節足動物食でもコオロギ等、入手や繁殖が容易な昆虫に餌づく種であれば飼育は比較的容易である。ただし脊椎動物食の種と比較して餌の相対量は多く、カルシウムやビタミンD_3等、不足しやすい栄養素の補給は不可欠だ。ただ昆虫食のヘビ類はダスティングした餌を嫌うことが多く、トカゲ類のように小皿に入れて与えてもサプリメントを舐めることはない。そのため、サプリメントを水に溶かしたものを餌に注射するか、直接飲ませる等の工夫が必要だ。

メクラヘビ類の場合、小型種であればイエコオロギやフタホシコオロギ等を繁殖させ、その卵や初齢幼虫を与える方法の他に、これらと同じケースで飼育する方法もある。しかし、大型種ではさらに大型のシロアリやアリをコロニー単位で養殖するか、野生のものを確保する必要があり、飼育には困難を伴う。

これらの種は地上で水を飲むため、水入れを設置することを忘れてはならない。なおマイマイなどの巻貝食やミミズ食の種は餌を食べた後、口腔内に餌の粘液が付着することを嫌がり、新鮮な水を飲むことが多い。

無脊椎動物食のヘビ(主な種)の餌:量と給餌頻度の目安

種名	餌の種類	1回の餌の量	給餌頻度	備考
ブラーミニメクラヘビ(全長10 cm)	コオロギ幼虫・卵、シロアリ	1 g程度	隔日	
リュウキュウアオヘビ(全長50 cm)	ミミズ(フトミミズ科)	大型のもの1~3個体	週2~3回	
サザナミセダカヘビ(全長50 cm)	カタツムリ、タニシ、ナメクジ	10~20匹	週2~3回	
ラフアオヘビ(全長60 cm)	カイコ、コオロギ、ハニーワーム、ゴキブリ	20~40 g	隔日	

*個体差もあるので一応の目安と考え、餌の種類、食欲や太り具合等を見て適宜増減させる。脱皮期間中は餌量や給餌頻度も減らす。

与える餌動物の温度に注意

ヘビの餌として、現在最も多く流通しているマウスで飼育ができる種も少なくない。しかし、その与え方や、与えるべきマウスの種類に誤解もある。永続的に健康を維持できる餌やりについて押さえておきたい。

ボルネオアカニシキヘビ
Python breitensteini

バイパーボア
Candoia aspera

メキシコパイソン
Loxocemus bicolor

サンビームヘビ
Xenopeltis unicolor

地上棲、地中棲のヘビ類で哺乳類や鳥類といった内温性脊椎動物を主食としている種は、特に中型から大型のヘビ類に多い。ヘビ類でも最大級のサイズにまで成長する超大型種の多くは、このタイプに属する。

もっとも彼らも野生下では、幼体時にトカゲやカエル等の外温性脊椎動物を食べる種、あるいは成体でも内温性脊椎動物と外温性脊椎動物を幅広く食べる種が少なからずいる。とはいえ飼育下ではネズミ類を餌とするケースが多く、累代繁殖も続いているので、必ずしも外温性脊椎動物を食べさせる必要はないだろう。

このタイプには樹上棲ではないニシキヘビ上科(ニシキヘビ科、メキシコパイソン科、サンビームヘビ科)とボア上

中身を飲み、殻を吐き出したアフリカタマゴヘビ*Dasypeltis scabra*。鶏卵他、鳥類の卵を好むヘビは多いが、こうした行動は本種を含むタマゴヘビ属と、類縁の遠いインドタマゴヌスミ（オオガシラ属 *Boiga*に近縁）で並行に進化したものだ。

科（ボア科［スナボア亜科等を含む］、ラバーボア科、ジムグリボア科、ナンヨウボア科、ヒメボア科［ボア上科とは別系統とされることもある］）、小型種を除くナミヘビ科の多くの種、マイマイヘビ科の一部、イエヘビ科の一部、モグラヘビ科の一部、マダガスカルヘビ科の一部等が含まれる。

また、このタイプの中でも非常に特殊化したものにナミヘビ科のタマゴヘビ属（*Dasypeltis*）やインドタマゴヌスミ*Elachistodon westermanni*など、鳥類のタマゴを専食している種がいる。

彼らは呑み込んだ卵を喉の内側の頸椎で圧迫して破砕し、中身だけを食べて卵殻は一まとめにして吐き出す。ナミヘビ類には他にもナメラ属等に鶏卵を食べる種がいるが、こうした行動は見られない。飼育下で与える餌として鶏卵では大き過ぎるため、ウズラの卵を与える。

地上棲、地中棲のヘビの中に樹上でも活動を行う種は多く、シマヘビ等は腹

鶏卵を狙うシマヘビ*Elaphe quadrivirgata*。鳥類の卵に嗜好性の高い種は少なくない。

ヒヨコとマウス：メリットとデメリット

	マウス	ヒヨコ
メリット	・栄養価のバランスがよい ・飼育個体のサイズに合わせて大きさを選ぶことができる。 ・流通量が多く、入手性が高い ・餌付けできる種が多く、汎用性がある	・1匹あたりの単価が比較的安い ・樹上性の種を始め、嗜好性の高いヘビがいる ・マウスと比較して大きいため、給餌スパンを少なくできることからコストパフォーマンスがよい
デメリット	・1匹あたりの単価がやや高い ・消化の負担が大きい種がいる	・同サイズのマウスと比較するとタンパク質やカルシウム含有量は少ない ・サイズが大きいことから与えられるヘビの種は限られる ・扱っていない店舗もあり、入手性はマウスより劣る

板のキールを利用して樹に登るのがうまい。飼育下でも木の枝や、それに類するものを設置すれば積極的に利用する種が多い。中でもナンヨウボア科のビブロンボア*Candoia bibroni*やハブモドキボア*C. carinata*は樹上棲の傾向が強い。

餌はネズミ類（マウス、ラット、ハムスター類、モルモット等）と、家禽類およびその雛（鶏の雛［ヒヨコ］、ウズラとその雛、ハト）が代表的なものといえる。また非常に大きくなる種には兎や豚の乳児、鶏等も使用できる。この中で最も入手しやすく使いやすいのはマウスで、ラットがそれに次ぐ。ハムスター類やモルモットは餌用としての流通が少ないが、ペット用や実験動物として流通しており、マウスやラットに餌づき難い小型哺乳類食の種や、偏食の激しい個体の餌には利用できる。

ヒヨコやウズラの雛はマウスより安価で、かつ入手も比較的たやすい。そのためマウスやラットの代用食、または鳥類を好む種や個体に使用することができる。ただし栄養価ではネズミ類に一歩譲り、特に孵化直後で餌を食べ始める前のヒヨコ・ウズラは全身の化骨が進んでおらず、単食ではカルシウム不足となる恐れがある。

一方、食用の鶏の手羽は各部に分けることでネズミや鳥類の全体食の代用となり、ネズミ類がどうしても手に入らない時には使用してもよいだろう。またウズラやハトは食用としての流通があり、かなり割高になるが、鳥類以外への反応が鈍い種には有効な場合がある。

餌のサイズは「ヘビの胴部の最大幅」と比較して、「餌の胴部や頭部の最大幅が同等以下」を目安とするとよいだろう（102頁参照）。ただし例外もあり、ジムグリボア*Calabaria reinhardtii*（かつてジムグリパイソンと呼ばれ、ボア・パイソン類の原始的な祖先から分かれた種とされていたが、現在はボア上科

餌の解凍法：手法別のメリットとデメリット

	冷蔵庫で解凍	常温で自然解凍	湯煎	シートヒーターの上に置く	電子レンジで解凍
メリット	栄養の欠損を最小限にできる	手間がかからず短時間で解凍できる	短時間で解凍できる	手間がかからず短時間で解凍ができる	非常に短時間で解凍ができる
デメリット	解凍までに時間がかかる	栄養価が変化する恐れがある他、高温時は腐敗の恐れも	湯量や水温に注意が必要（高温での湯煎では栄養が欠損）	解凍の進行がわかりにくく、こまめなチェックが必要となる	栄養の欠損が著しい。時間の加減を誤ると餌が破裂することもある

に含まれている）は、マウスであればホッパー以上の毛の生えそろったネズミは嫌がり、ファジーやピンキーを好む。また、この種は他のボア・パイソン類ほどには口が開かないが、「小型の餌」に嗜好性があるというわけではないようで、ホッパーマウスと同サイズのピンキーラットや、より大きなファジーラットは問題なく食べた事例がある。

地上棲、地中棲のヘビは餌を嗅覚で認識する傾向が強いが、ピット器官をもつボア・パイソン類は餌の体温を感知することができ、その熱源の動きにも反応する。これらのヘビでは冷凍餌の給餌の際、一度完全に解凍した後（軽く握って冷たさを感じなくなるまで）、40℃程度まで暖めることが必要となる。

冷凍餌の解凍の方法には1.冷凍庫から冷蔵庫に移す、2.常温で自然解凍（高温時には腐敗に注意）、3.湯煎、4.プレートヒーター上に置く、5.電子レンジによる解凍等がある。私の場合は加温も兼ね、プレートヒーター上に餌を並べて解凍することが多い。

暖めたマウスはケージの底面に置く。この時、餌を仰向けに置き、その吻端をヘビのいる側に向け、同時にやや上向きにすると摂餌がスムースに行くことだろう。またボア・パイソン類では置き餌よりも、ピンセット等で眼前に持っていって軽く動かすと反応するケースが多い。餌の臭いに反応して接近している場合には特に効果的である。

ヘビが餌に咬みついたら餌を軽く引っ張ると、ヘビは逃げられないようにより強く咬みつき、巻き付きや呑み込みに移行するケースも多い。いずれにしても、ヘビが餌を食べ始めたらできるだけ物音を立てるのを避け、採餌を中断させないように注意すること。たびたび採餌の途中に邪魔が入るとヘビは採餌をやめることがあり、それが続けば拒食の原因となることもある。

また個体によっては呑み込むのが下手なものもいる。現在飼育しているボールニシキヘビのある個体は、大きめのラットを与えるとその吻端に噛み付くのを嫌がり、片側の前肢に噛み付いてそこから呑み込もうとして失敗することが多い。ラットの吻端のひげを切ったり、皮膚を剥いたりしてみたが改善せず、最近は吻端をくわえさせせアシスト給餌の要領で給餌している。

ピット器官をもたないヘビでは、餌の温度が下がっても反応がさほど

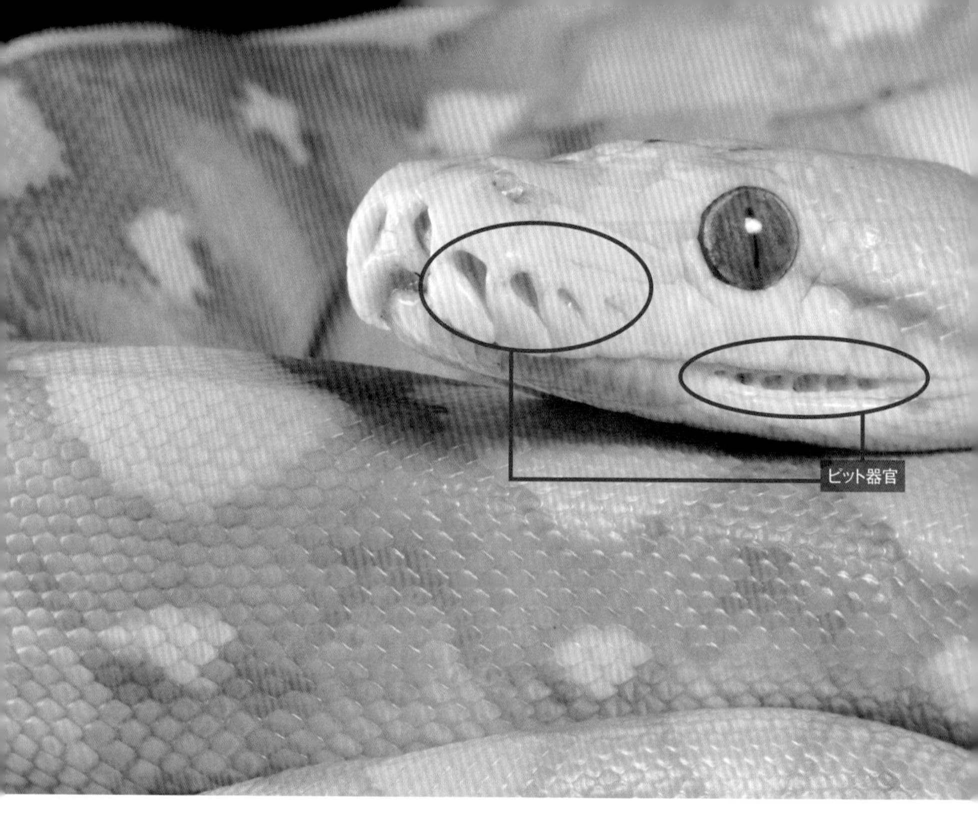

悪くならないケースも多い（温かい方が餌の臭いが強まるのは間違いないが）。それどころかブリーダーが冷凍餌を与えて育てた個体の中には、温められた餌はかえって好まず、冷えたものの方により反応する個体もいる。一方、ピット器官をもつボア・パイソン類では冷めた餌への反応は極端に悪くなるため、食べずに冷めてしまった餌は再度加温してから与える必要がある。

餌を食べた後、ヘビはシェルター内に移動してそこで休止しながら消化の進行を待つことが多い。こうしたヘビをハンドリングすることは吐き戻しの原因となるため、できる限り避けたいところだ。ヘビ類は高い消化能力を持つ一方で、効率的な消化のためには体温を高めに維持する必要がある。腹面が冷えてしまうと餌の消化不良や下痢、餌を吐き戻す原因ともなるので、シェルター内やその底面はできる限り冷え過ぎないように注意すること。

中には乾燥した環境を好む種も存在するので、全身が浸かる程の水入れは必ずしも必要ない場合もある。水入れはケージ内のホットスポットから外れた位置に、ひっくり返されにくい形状のものを設置し、常に新鮮な水を用意すること。

中湿度から高湿度を好む種では、全身が浸かれるサイズの水入れがあるのが望ましい。また、低湿度を好む種も脱皮時や休止時には比較的高湿度の環境が必要となるため、内部が湿ったウェットタイプのシェルターを設置すること。

アミメニシキヘビ*Malayopython reticulatus*のラベンダーモルフ。上下の口唇に並んでいる穴が熱を感知する「ピット器官」。クサリヘビ科の種も同様の器官をもつ(89頁参照)。

水棲のヘビ(主な種)の餌：量と給餌頻度の目安

種名	餌の種類	1回の餌の量	給餌頻度	備考
コーンスネーク（全長35 cm）	ピンクマウス	1～2個体	週2～3回	
（全長100 cm）	アダルトマウス	2～3個体	週1回	
カリフォルニアキングヘビ（全長30 cm）	ミンチ状のピンクマウス	1/4～1/2個体	週2～3回	
（全長100 cm）	アダルトマウス	2～3個体	週1回	
ボールニシキヘビ（全長30 cm）	ホッパーマウス	2～3個体	週2～3回	
（全長120 cm）	ラット（150-200 g）	1個体	月2～3回	
ジムグリボア（全長80 cm）	ファジーマウス	6～8個体	週1回	
アフリカタマゴヘビ（全長60 cm）	ウズラの卵	3～5卵	月1回	

＊個体差もあるので一応の目安と考え、餌の種類、食欲や太り具合等を見て適宜増減させる。脱皮期間中は餌量や給餌頻度も減らす。

ヘビ類の餌やり 8 地上棲・地中棲のヘビ（外温性脊椎動物食）

特殊な食性をもち
餌の確保が大きな課題

餌の特殊性を考えると、最も飼育には向かないグループだと言えるかも知れない。ただし、マウスなどの入手しやすい動物に餌付けがなされている種もいる。

ミツウロコヘビ
Xenodermus javanicus

セイブシシバナヘビ
Heterodon nasicus

サンゴソリハナヘビ
Xenodon pulcher

キングコブラ
Ophiophagus hannah

ヘビ類には、トカゲやヘビ等の爬虫類、カエルを中心とした両生類、淡水魚等を食べる種がいる。具体的にはパイプヘビ科、サンゴパイプヘビ科、ミツウロコヘビ科、ナミヘビ科でも一部の小型種、ユウダ科の多くの種、シシバナヘビ属（*Heterodon*）やサンゴソリハナヘビ属（*Lystrophis*）等マイマイヘビ科の一部、イエヘビ科の一部、アレチヘビ科の一部、マダガスカルヘビ科の一部等である。

その他、コブラ科のキングコブラ*Ophiophagus hannah*やマイマイヘビ科のムスラナ属（*Mussurana*）とその近縁種のように、他のヘビ類を主食としている種もいる。ムスラナ類等の爬虫類食のヘビでは、幼体時や小型種の餌としてヤモリ等のトカゲ類でまかなうことはできる

顕著に特殊な食性をもつヘビとその餌

種名	餌となる動物	概要
ナメクジクイ属 (*Duberria*)	ナメクジ、巻貝	イエヘビ科
ハナエグレヘビ属 (*Gyalopion*)	クモ、ムカデ	ナミヘビ科。 飼育下では昆虫を食べた事例も
アカマタ *Dinodon semicarinatum*	広食性だがウミガメの卵や孵化幼体を捕食することも	本来は両生類、爬虫類、哺乳類を広く捕食
カメガシラウミヘビ属 (*Emydocephalus*)	魚卵	ウミヘビ類だが毒牙は退化
ムシクイサンゴヘビ *Micrurus hippocrepis*	カギムシ	主食はカギムシだが、 小型のヘビやトカゲを食べた事例も

だろう。しかし、成体の餌として繁殖・採集したトカゲ類やヘビ類をコンスタントに与えることは容易ではなく、マウスやラット等への餌付けを考慮した方がよいだろう。

なお地上棲、地中棲のヘビの中にも立体的な活動を好む種がおり、こうした習性を給餌の際に活用することも必要となる。例えば、トカゲ類を好む種の餌を考える時、その種が立体的な活動をするのであれば、餌としてヤモリや樹上棲のカエルなどが利用できる。

一方で、純粋な地上棲種や、地中棲種のヘビでは、高い場所で活動するヤモリなどを餌として認識しない可能性もある。このような場合、高さの低いケージで飼育したり、餌動物の餌や水入れ等をヘビシェルターの底面に設置したりすることで、飼育動物と餌動物が遭遇しやすい環境を演出し、餌付けに繋げることができるケースもある。

また、ピンセットから餌を与え続けることで、給餌のシチュエーションを学習し、ピンセットから与えられるものは餌である、と学習できる場合もある。これがうまくいけば、餌付けや給餌の手間を大幅に改善することができるだろう。

外温性脊椎動物食の小～中型種には、幼体時にナメクジやミミズ等の無脊椎動物を食べる種が多い。その他、亜種、個体群等で食性が異なり、種全体として多様な食性を示す種もいる。

ユウダ科のコモンガーターヘビ*Thamnophis sirtalis*はカエル（オタマジャクシを含む）や小魚を主に食べる亜種が多いが、他に小型のネズミ類、ミミズやナメクジ、ヒルの他、有毒のイモリ類を捕食する種もいる。また、飼育下では魚粉を多く含む雑食性の水ガメ用の配合飼料にも餌づくことがある。同じユウダ科のヒヴァ属（*Hebius*）やナミヘビ科のマダラヘビ属（*Dinodon*）も同様に人工飼料に餌づいた事例がある。

シシバナヘビ属は有毒のヒキガエル（*Bufo* spp.）類を含むカエル食の傾向が強いが、セイブシシバナヘビ*Heterodon nasicus*や近縁のメキシコシシバナヘビ*H. kennerlyi*は他の同属種と異なり食性の幅が広い。小型の哺乳類やトカゲ、爬虫類の卵等も食べる他、ほぼネズミ類のみを食べている個体群もいる。セイブシシバナヘビはマウスに餌付けやすい種であり、カエル食性の強い同属種よりは飼育・繁殖がしやすい。

一方、飼育種として流通している種でも、かなり極端な食性のものも

ククリィヘビの1種（*Oligodon taeniolatus*）。上顎の牙が手前に歪曲しており、ヤモリ等の爬虫類の卵に穴を開けて中身を食べる。咬まれると深い傷ができ、飼育下では扱いに気をつけるべき種の一つである。なお、「ククリィ」はアジアの小刀で、和名は牙の形状がこの刃物に類似することからつけられたものだ。

いる。ナミヘビ科のククリィヘビ属（*Oligodon*）は野生下でトカゲやヘビの卵を食べている。その歯は歪曲した山刀状をしており、この歯で殻を切り裂いて卵の中身を食べる。この種を飼育するためには小型のトカゲ類を繁殖させてその卵を利用するか、卵（鶏卵やうずら卵も使用できることも）の匂いを餌用のヤモリやピンクマウス等に付着させて餌付ける必要がある。

マイマイヘビ科のヒムネドロヘビ*Farancia abacura*は半水棲で、幼体のうちは他の両生類も食べるが、成体ではアンヒューマ*Amphiuma* spp.とサイレン*Siren* spp.を専食する（ウナギを食べるとする文献もある）。幼体ではまだしも成体は餌の確保が困難で、有効な代用食もないため、飼育には困難を伴う。

このように地上棲、地中棲のヘビのうち、外温性脊椎動物食の種の食性は多様であり、飼育を行う際は対象種について可能な限り情報を集める必要がある。食性の多様性に対応し、持続可能な飼育計画を立てることが難しければ飼育は現実的とはいえない。

熱帯魚の餌用に流通しているアフリカツメガエル*Xenopus laevis*やアジアウキガエル*Occidozyga lima*、爬虫類の餌用に輸入されている小型ヤモリ等に加え、金魚やメダカ、グッピー、ドジョウ、その他の川魚類等は餌として利用しやすい。その他、爬虫両生類や淡水魚を自家採集する方法もあるが、特定の箇所から大量に採集し続ければその個体群が小型化することも有り得る。多くの爬虫両生類が個体数の減少や生息環境の縮小にさらされている現在、それらを餌として採集することについては考える必要があるだろう。

野生下で広い食性をもつ種では、飼育下の餌付けもたやすい。カリフォルニアイモリ*Taricha torosa*のもつ強い毒（テトロドトキシン）に耐性があることで知られるカリフォルニアレッドサイドガーターもその1つ。

ヒムネドロヘビ*Farancia.abacura*。北米大陸原産の半水棲種で、最大200㎝程度まで成長する。野生下では両生類を専食しており、成体はサイレンとアンヒューマを専食するので飼育は非常に困難な種である。

地上性・地中棲のヘビ（外温性脊椎動物食：主な種）の餌：量と給餌頻度の目安

種名	餌の種類	1回の餌の量	給餌頻度	備考
コモンガーターヘビ（全長50 cm）	小魚、カエル、ミミズ、マウス	20〜40 g	週2〜3回	
クロスジソウカダ（全長40 cm）	小魚、カエル、オタマジャクシ	15〜20 g	隔日	個体によりカメの配合飼料も食べるが栄養価を考えるとあまり与えない方がよい。
アカマダラ（全長60 cm）	カエル、トカゲ、ヤモリ、ピンクマウス	20〜40 g	週2〜3回	
アカオパイプヘビ（全長60 cm）	ドジョウ、オタマジャクシ、ミミズ、マウス	20〜40 g	週2〜3回	

＊個体差もあるので一応の目安と考え、餌の種類、食欲や太り具合等を見て適宜増減させる。クーリング中ないし脱皮期間中は餌量や給餌頻度も減らす。

Column 2 コラム2

独特の捕食行動も——甲殻類食の奇妙なヘビたち

餌のカニを泥の中に押し込むカニクイミズヘビ。こうした捕食行動はヘビ類の中でも非常に珍しいものだ。

水棲のヘビ類は魚類、両生類、甲殻類、水生昆虫等を補食している。このうち、コブラ科のウミヘビ類やヤスリヘビ科は主に魚類を捕食している。汽水棲ないし海棲（主に内湾や沿岸部に生息）のヒメヤスリヘビ*Acrochordus granulatus*はインド南部からソロモン諸島に広く分布するが、マラッカ海峡の個体群のみ小型のエビやカニ等を主食にしている。

ユウダ科やミズヘビ科の水棲種には魚や両生類を主食とする種が多いが、このうちいくつかの種では甲殻類食に特化している。例えば北米産のクイーンザリガニクイ*Regina septemvittata*とグラハムザリガニクイ*R. grahamii*の２種を含むザリガニクイ属（*Regina*）がいる。彼らは脱皮後間もない甲の軟らかなザリガニ類に巻き付いて捕らえ、尾から捕食する。クイーンザリガニクイは食性の９割以上がザリガニだったという調査結果もある（ただし魚や両生類、淡水巻貝、ホウネンエビ等を食べていた調査結果もある）。幼体はトンボの幼虫等の水生昆虫やエビ、ザリガニの幼体等を食べている。

かつてこれらと同属とされていたヒメザリガニクイ*Liodytes rigida*とシマヒメザリガニクイ*L. alleni*もザリガニクイ属と同様の食性である。このヒメザリガニクイ属（*Liodytes*）のうちのもう１種、クロスワンプヘビ*L. pygaea*は食性が異なり、魚、カエルとオタマジャクシ、有尾類、ミミズやヒル等を捕食し、以前は別属（*Seminatrix*）とされていた。

沖縄諸島の久米島のみに分布するユウダ科のキクザトサワヘビ*Opisthotropis kikuzatoi*は最大で全長60 cmと小型で、日本産ヘビ類唯一の淡水棲の水棲種である。環境省のレッドリストで絶滅危惧IA類とされ、日本産の爬虫類で最も絶滅の恐れの高い種と見なされている。本種は

1985年に沖縄県の天然記念物、1995年に種の保存法による国内希少野生動植物種に指定され、採集や飼育が厳重に規制されている。また、1998年にその生息地が「宇江城岳キクザトヘビ生息地保護区」に指定された。同種はアラモトサワガニやクメジマサワガニの稚ガニを主に丸呑みで捕食する。

キクザトサワヘビを含むサワヘビ属は25種からなり、本種以外はすべて中国南部と東南アジアに分布している。多くは小型種で、水棲（淡水棲）ないし半水棲種で、小魚、カエルとオタマジャクシ、ミミズ、小型甲殻類、水生昆虫等を食べているとされる。しかし、少数の標本のみで知られている種や、生態や食性が不明な種も多く、キクザトサワヘビのように小型のカニを主に食べている種は他にも存在する可能性がある。

例えばブイサンサワヘビ*O. kuatunensis*が香港の渓流で、脱皮したてではさみや脚のほとんどを失ったサワガニ科のカニの死体を口にくわえていたという事例がある。また、トンキンサワヘビ*O. lateralis*は小型のエビ、カニ、魚を食べるとされている。

タイ北部の山間の渓流に分布するスペンサーサワヘビ*O. spenceri*は２個体の標本のみが知られ、近縁種同様、小魚、カエルとオタマジャクシ、ミミズ等を食べるとされていた。しかし、近年の調査で、この種は探索型の捕食者で、渓流内を活発に移動し、岩の隙間や割れ目に隠れる脱皮直後の甲の軟らかなサワガニ科の淡水ガニを見つけ、捕食することが判った。この種はまずカニの体に巻き付き、頭胸甲（甲羅）が体から外れ、隙間ができるまで締め上げる。それからカニの体内にもぐり込み、内臓を吸うようにして食べる。その後、脚や腹部をはずして呑み込んでゆく。

ミズヘビ科は魚食や両生類食の種が多く、半水棲や水棲だが、汽水棲ないし海棲種の中に甲殻類食の種が存在する。東南アジアに広く分布するハチマキミズヘビ*Cantoria violacea*は口が大きく開かず、主にテッポウエビ類を捕食する。

インド東部からオーストラリア北部に分布するカニクイミズヘビ*Fordonia leucobalia*は、固い殻のあるカニに口を閉じた状態でぶつかり、顎で泥に押し込み動きを止める。その後、巻き付いて呑み込むが、その前に脚をもぎ取って食べることもある。この種は魚食性の近縁種シュナイダーウミワタリ*Cerberus schneiderii*と同程度に大きく口を開けることができ、比較的大きなカニを呑み込むことができる。別の研究で、ハチマキミズヘビの大型個体はモクズガニ科のカニを補食するのが判った。この種も頭胴部を呑み込む前に、はさみや多くの脚をもぐことがある。

これに対し、インド西部からボルネオ島に分布するツツミズヘビ*Gerarda prevostiana*はハチマキミズヘビ以上に口が大きく開かない。この種は脱皮後間もないカニを専門に捕食する。まずカニに咬み付き、可能ならそのまま呑み込むが、大き過ぎればカニの体を締め上げた状態で口にくわえて甲を引裂く。邪魔なら、四肢やはさみを口でもぎ取り、それを食べる。カニの体がばらばらになってからそれを呑み込んでいくのである。

feeding for Lizards

トカゲ類の餌やり

餌の多様化とともに食性の多様化が進む

無脊椎動物を餌とする種が多く、食性の幅も広い。彼らもまた環境に適応して食性を広げた爬虫類といえるだろう。植物質の餌を食べる種も含めて、飼育下での給餌に頭を悩まされることは比較的少ない。

キアナカイマントカゲ
Dracaena guianensis

モロクトカゲ
Moloch horridus

サンディエゴツノトカゲ
Phrynosoma blainvillii

テイラートカゲモドキ
Hemitheconyx taylori

トカゲは爬虫綱双弓亜綱鱗竜形下綱有鱗目に属する分類群で、37科6687種からなり、現生爬虫類の主要なグループの中では最も種数が多い。

なおトカゲ類を含む有鱗目はトカゲ亜目、ヘビ亜目、ミミズトカゲ亜目の３亜目に分類され、上記のトカゲ亜目の他にヘビ亜目33科3789種、ミミズトカゲ亜目12科195種を含む。脊椎動物の「目」では最大級の分類群である（安川・栗山, 2020）。

トカゲ類が非常に多くの種を含み、多様に進化したのは、陸棲の無脊椎動物（昆虫やクモ、サソリ、ムカデ、ワラジムシ、ハマトビムシ等を含む節足動物）、陸棲巻貝やナメクジを含む軟体動物、ミミズ等の環形動物といった多様な生物を餌として来たことが大きい。

アリ塚で獲物を漁るモロクトカゲ。オーストラリア中部・アリススプリングス・デザートパークで。

つまり捕食対象の著しい多様性（昆虫だけでも数百万種とされ、多様な環境の様々な場所に多数の種が生息している）こそが、同時に捕食者である彼らの多様性を促したのだろうと推測される。現生においても、餌となる虫の生息しやすい環境には、多様なトカゲ類が生息している。

動物の食性について、特定の種や種類のみを食べるタイプ「スペシャリスト」に対し、多様な餌を食べるタイプはジェネラリストと呼ばれる。

このうちトカゲ類は、幅広く昆虫を食べる「ジェネラリスト」の種が多いが、テユー科のカイマントカゲ属（*Dracaena*）のように水棲の巻貝食に特化したスペシャリストの種もいる。昆虫食の種でも、アガマ科のモロクトカゲ*Moloch horridus*やツノトカゲ科のツノトカゲ属(*Phrynosoma*)はアリを専食するスペシャリストである。他にもアガマ科のトビトカゲ属（*Draco*）は、（ときには他の昆虫も食べるが）アリやシロアリを主食としている。またテイラートカゲモドキ*Hemitheconyx taylori*は野生下では主にシロアリ塚の付近に生息し、シロアリ類を食べている。

トカゲ類の体型に対するイメージは、一般的なスキンク類やカナヘビ類のような、小型で吻端が尖った頭部、スマートな胴体に発達した四肢と長い尾というものではないだろうか。こうした外見的特徴をもつトカゲ類は種数も多く、トカゲ亜目の多様な科にまたがっており、この亜目の標準的な体型であることは間違いない。しかし、トカゲ類はその生活型に合わせ、こうした「標準的なトカゲの姿」から様々な体型へと進化している。

インドネシア・東ジャワ州のスラバヤ動物園で飼育されているコモドオオトカゲ。同園ではヤギの肉を与えているという。

例えば樹上棲種では、細く身軽な体型となり、四肢や尾が伸長、さらに四肢の指が細長くなって先端に樹皮を上るのに適した鋭い爪をもつ種が多い。こうした特徴をもつグループはオオトカゲ科、アガマ科、スキンク科、イグアナ上科（イグアナ科、アノール科、トゲオイグアナ科、バシリスク科、ツノトカゲ科等を含む）、カナヘビ科、カタトカゲ科、アシナシトカゲ科等、多様な科にまたがる多数の種からなる。

その一方で、ヤモリ下目（ヤモリ上科に属すヤモリ科、トカゲモドキ科、チビヤモリ科、ユビワレヤモリ科と、ヒレアシトカゲ上科に属すヒレアシトカゲ科、イシヤモリ科、カワリオヤモリ科を含む）の樹上棲種では体が横に扁平となり（樹皮の隙間等にもぐり込むための適応だと思われる）、四肢は短めだが平滑な面にも付着できる「指下板」と呼ばれる鱗を発達させた。また、尾に同様の付着可能な鱗をもつ種や、尾の可動性が高く枝等に巻き付けることができる種もいる。

カメレオン科は樹上棲種が大半である。彼らは縦扁した体型で、伸長した四肢をもち、対向し合う枝をつかむことのできる指をもつ。また長い尾は枝等に巻き付けるのに役立ち、左右別々に動く眼を具える（同時に多方向を見られる。）獲物を捕食するための粘着力のある伸縮可能な舌も彼らの特徴の一つだ。

トカゲ類は中小型種を中心に虫食性の種が多数派だが、中型以上の種の中には脊椎動物食や植物食に移行した種も数多くいる。昆虫をはじめ陸棲の無脊椎動物の大多数は比較的小型で、さらに集団生活をする種は社会性昆虫等に限られる。こうしたことから相対的に、中

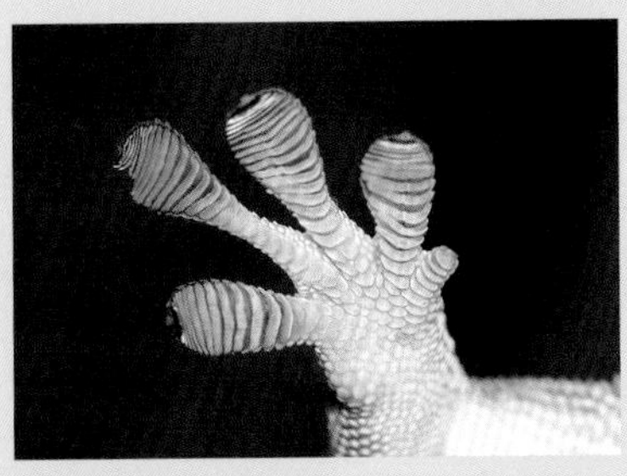

オオヒルヤモリ*Phelsuma madagascariensis*の「指下板」。

型や大型のトカゲ類が小さな虫のみで食物をまかなおうとすると、あちこち探索して非常に多数の個体を捕食しなければならず、エネルギー摂取効率が非常に悪い（疋田，2002）。そのことが脊椎動物食や植物食のトカゲへの進化へつながったものだと考えられる。

オオトカゲ科の中型以上の種の大部分は、（無脊椎動物も食べるが）脊椎動物食の傾向の強い動物食で、主に魚類や爬虫両生類、鳥類（卵を含む）、哺乳類等を捕食する。中でも大型のコモドオオトカゲ*Varanus komodoensis*は、野生下でネズミやコウモリのような小型哺乳類だけでなくサルやイノシシ、ジャコウネコ、シカ、ヤギ、スイギュウ等、野生化した家畜を含む中～大型の哺乳類を捕食している。

一方、フィリピンオオトカゲ亜属（*Philippinosaurus*）に分類されるグレイオオトカゲ（*V. olivaceus*）、シエラマドレオオトカゲ（*V. bitatawa*）、パナイオオトカゲ（*V. mabitang*）の３種は中～大型の種である。幼体では昆虫や陸棲巻貝等、動物食の傾向が強いが、成体ではむしろヤシやアダン等の果実を好む果実食性が強くなる。

またテユー科のキイロテグー属（*Tupinambis*）やミナミテグー属（*Salvator*）は動物食性が強く、幼体はほぼ虫食性だが、成体では魚類、爬虫両生類、鳥類（卵を含む）、小型哺乳類や果実等も食べるようになり、動物食性の強い雑食となる。

植物食のトカゲ類は、中型以上の種が様々な分類群で知られている。イグアナ科のグリーンイグアナ*Iguana iguana*を含むイグアナ属（*Iguana*）、サバクイグアナ属（*Dipsosaurus*）、チャクワラ属（*Sauromalus*）等は完全な植物食である。ウミイグアナ属（*Amblyrhynchus*）はトカゲ類では例外的に海藻を主食としているが、植物食であることは変わらない。一方、同じイグアナ科でもツチイグアナ属（*Cyclura*）やトゲオイグアナ属（*Ctenosaura*）は果実や花を好む植物食性の強い雑食性である。

イグアナ科以外のほぼ植物食のトカゲ類には、アガマ科のバタフライアガマ属（*Leiolepis*）やトゲオアガマ属（*Uromastyx*）の大部分、トカゲ科のオマキトカゲ*Corucia zebrata*等が含まれる。

これ以外にも、雑食性で植物質を好む、あるいは成体では植物食の傾向が強くなる中型以上のトカゲは種数が多く、様々な分類群に見られる。例えば、アガマ科のホカケトカゲ属（*Hydrosaurus*）、アゴヒゲトカゲ属（*Pogona*）、ウォータードラゴン属（*Physignatus*）や、カナヘビ科のカナリアカナヘビ属（*Gallotia*）、カタトカゲ科のプレートトカゲ属（*Gerrhosaurus*）やオビトカゲ属（*Zonosaurus*）、イシヤモリ属のミカドヤモリ属（*Rhacodactylus*）等がこれに該当する。

ヤモリ類では、国内外に民家周辺へと集まってくる種がいる。ランタンの内側に貼り付いているのはチチュウカイナキヤモリ*Hemidactylus turcicus*。スペイン北東部·カタルーニャのエブロデルタ付近で。

トカゲ類は平地、山地、森林、草原、荒れ地、砂漠、湿地、湖沼、河川、海岸、農耕地、都市部等の多様な環境に進出しており、樹上、草むら、地表、地中、岩の下や隙間、洞窟、水辺、水田、畑、果樹園、人家とその周辺付近等、様々な場所や環境で生活している。そのため、健全な飼育のためには食性だ

ミミズトカゲ亜目でも唯一、前肢をもつアホロテトカゲ科。生涯のほとんどを地中で暮らし、視力はほとんど退化している。写真はヨツユビアホロテトカゲ *Bipes canaliculatis*。

けでなく、生息場所を考慮したケージと飼育環境を用意し、種の特性や嗜好に応じた給餌を行う必要がある。

ミミズトカゲ亜目はトカゲ亜目のカナヘビ下目（カナヘビ科、テユー科、ピグミーテユー科、マイクロテユー科の4科からなる）から進化した地中生活に特化したグループである。

彼らは四肢を欠く「アシナシトカゲ」型の爬虫類で、アホロテトカゲ科のみが前肢をもつ。眼は退化し鱗に覆われており、尾は短い。その体は環状に配列された粒状鱗に覆われ、それによってできた環節が前後に並ぶ。

この仲間は地中生活に非常に適応しており、頭部の頑健な鱗と発達した筋肉により、効率よく残土を出さず地中にトンネルを掘ることができる。また、そのトンネル内で環節を伸縮させることで前後に滑らかな移動ができる。こうした移動方法では四肢はむしろ邪魔になることから退化しており、視覚は未発達で耳も退化的だが、それを補うために振動覚や嗅覚が優れている。

ミミズトカゲ類はいずれも発達した鋭い歯を具えている。地中でミミズや節足動物を主食としているが、ときには地上に現れ採餌することもある。大型種は無脊椎動物だけでなく、小型の哺乳類や爬虫両生類等も捕食している。飼育下での観察では床材の中に潜み、上を通る餌動物に反応して素早く頭部を現し、捕食を行う姿が観察されることがある。また、嗅覚が発達していることから、ミンチ状にした昆虫やピンクマウス等を床材上に置いておくと匂いに誘引され食べることがある。これらを考えると、野生下でも動物の死体を食べている可能性がある。

トカゲ類の餌やり | 1 | ペットとして定着したトカゲ飼育

器具や餌の充実で長期飼育が現実に

配合飼料や生き餌、冷凍餌に添加用サプリメントが一般化した現在では飼育動物として定着したトカゲ類。しかし餌用昆虫や保温器具の流通があまりなかった時代には、飼いやすい爬虫類ではなかった。

1960〜70年代にかけての第一次爬虫類ブーム以前、日本国内には世界各地から様々なトカゲ類が輸入されていた。しかし、それらのほとんどはWC個体であり、動物園・水族館や、爬虫類展等の展示用としてのものだった。当時、日本国内では爬虫類への関心はかなり低く、トカゲも（ヘビほどではないにしても）好まれている生き物とはいえなかった。

しかし、動物園や水族館での展示機会の増加、爬虫類展の開催等により少しずつトカゲへの関心は高まってゆく。人気が高まるまでには時間がかかったが、ペット市場での生体の流通も少しずつ増えていった。

それに伴い、展示用に輸入されたトカゲ類の一部は市場にも流れるようになる。爬虫類展に併設された販売場やデパートの屋上にあるペットコーナー、ペットショップや観賞魚店、祭りや縁日の夜店等で販売されるようになっていった。

トカゲ類は比較的早い時期にペットアニマルとして定着した。爬虫類研究者として今も名を残す高田榮一氏とグリーンイグアナ。

こうして第一次爬虫類ブームが起きるのだが、餌や飼育器具の流通はあまり多くなかった。また、健全なトカゲ飼育に関する知識も欧米からのわずかな情報があるのみで、言わばトカゲを飼育する際には徒手空拳に近い状態で挑まねばならなかった。

この当時、トカゲの餌として通年利用できるものとしては、ミルワームや釣り用のウジ（キンバエ等のハエ類の幼虫で「サシ（虫）」という名称で流通）があるのみで、他の昆虫も与えるなら自家採集を行なうしかなかった。しかし当然、冬場は昆虫の自家採集が難しく、熱

サシ（キンバエの幼虫）は古くから利用されてきた餌の1つ。

1970年代にはミルワームも一般的な餌の一つとなる。

帯産の種であれば冬眠させるわけにも行かない。こうしたことを考えると、昆虫食のトカゲ類の通年飼育は困難であった。そのため、ペットのトカゲ類は劣悪な環境で飼育され、短命に終わることも少なくなかった。特に保温と餌の入手の問題がある熱帯性の昆虫食のトカゲについては、完全に夏の消耗品だったのである。

このようなことから当時、昆虫食のトカゲは飼育に向かない種とされ、トカゲ類の中では肉類に餌づくオオトカゲ類や、野菜や果実を食べるイグアナがペット向けとされていた。当時はCB幼体より、WCの亜成体以上の輸入が中心であり、輸入時の健康状態やペット店でストックされている状態は必ずしもよいとは言えなかったが、「より大型種」で「より大きな個体」については体力もあるために長生きし、重宝された。

当時も園芸用のラジエター型ヒーターや、電熱線で加熱して温風を出すタイプのヒーター、そして、これらに使うためのサーモスタットはあった。しかし大型のガラス温室を暖めるための大型のものしか流通していなかった。そこで、個別のケージを暖めるためにはヒヨコ電球や市販の白熱電球を使うしかない。しかし、これらは寿命が短く、水滴がつけば一瞬で駄目になってしまう。そこで、熱帯魚用のバイメタルサーモスタットとヒーターを使用し、ケージごとに水を暖めることのできる水棲のカメやワニはまだ飼いやすかったが、トカゲはそうもいかなかった。

第一次爬虫類ブームが起きたおよそ30年前に多くの爬虫類を飼育していた経験があり、その後一度爬虫類飼育は辞めたが第二次爬虫類ブームにより再び爬虫類を飼い始めたという人に以前、話しを聞いたことがある。彼によれば、個別にケージを暖めるのがたいへんなので、冬場は部屋ごと温室として暖房し、熱帯産のトカゲ他爬虫類を飼育していたという。個体数は増えても１部屋に納まるうちは暖房費が変わらないことからエスカレートし、結果的にうまく飼育できなかった個体も多く、今から考えるとかわいそうなことをしたと言うことだった。少なくとも第二次爬虫類ブームの頃までは、爬虫類を扱う店でも、個別のケージではなく、（昼間は白熱灯等でホットスポットを設けるにしても）生体を飼育している部屋全体を暖房するのが主流だったのである。

私は幼稚園児の頃からクサガメ*Mauremys reevesii*等を飼育し、1970年代半ばの小学生の頃には野外で採集したニホンカナヘビ*Takydromus*

フタホシコオロギは1980年頃から流通が開始された。イエコオロギと比較すると、匂いが強いこと、および鳴き声が大きいことがネックとなりやすい。

イエコオロギは栄養価のバランスを考えても使いやすい餌の1つ。1990年代後半から爬虫類用の餌として定着した。

*tachydromoides*やペットショップで購入したオキナワキノボリトカゲ*Diploderma polygonatum*を飼育していた。トカゲ類の餌にはミルワームの他、昆虫やクモを採集して与えていた。保温器具は十分なものを用意できなかったため、冬場は冬眠させていた。クサガメの冬眠はめったに失敗しなかったが、トカゲ類は一度も越冬させることができなかった。

上野動物園の水族館に展示されていた外国産の爬虫類は憧れの存在だったが、実際に熱帯産のカメやトカゲを飼育したのは1980年代に入った中学生の頃だった。最初に飼育した熱帯産のカメはイシガメ科のミスジハコガメ*Cuora trifasciata*であり、熱帯産のトカゲはトッケイヤモリ*Gekko gecko*であった。このうちミスジハコガメは熱帯魚用のサーモスタット一体型のヒーターで、トッケイヤモリはヒヨコ電球で保温して越冬に初めて成功した。

トッケイヤモリにはミルワームの他、採集した昆虫やクモを与えていたが、気が荒く、攻撃的で咬みついてくる。それでも食欲は旺盛だったので、犬用のカルシウム剤をまぶした鶏肉（今となっては奨められないが）や湿らせたカメの餌を与えることもあった。

1980年代に入ると、熱帯魚店の一角に爬虫類コーナーのある店が徐々に増える。同時に小型の電気あんかや、小動物・猫用の床に敷くパネルヒーターを使用できるようになり、保温の問題はだいぶ改善した。

この頃には餌としてのオキナワクロコオロギが「フタホシコオロギ」の名で流通するようになり、飼育下での虫食性トカゲの餌環境もだいぶ良くなった。当時、フタホシコオロギは自家繁殖の方法が知られておらず、買うには高価だったが、これを利用することでトッケイヤモリの数年の飼育に成功した。

1990年代には80年代後半から続く爬虫類ブームがさらに盛り上がる。カメ類の人気が高かったが、より一層人気の高まったのはトカゲとヘビで、カメばかり飼育している人は少数派であった。ペット店等でそれまで洋書の写真でしか見たことのなかった珍しいトカゲやヘビを目にするのは楽しかった。

この頃には現在主流である薄型のプレートヒーターの流通も始まる。ブームの後半には爬虫類の飼育器具や餌等のラインナップが大幅に改善され、紫外線の照射量の多い爬虫類用の蛍光灯や、使いやすい爬虫類専用のホットスポット用電球が販売されるようになった。また、配合飼料には雑食性のトカゲ類に使用可能

マーフィーパターンレスのヒョウモントカゲモドキ。同種は現在と比べて、当時まだ高価なペットだった。

なものも登場し、爬虫類専用のミネラルやビタミン添加サプリメントが普及し出したのもこの頃のことである。さらに、ジャイアントミルワームやイエコオロギの流通も始まった。

1995年頃知り合った友人にヒョウモントカゲモドキ*Eublepharis macularius*のブリーダーがいた。当時、この種のモルフはほとんど出回っておらず、ハイイエロー以外のカラーモルフはマーフィーパターンレス（当時はリューシスティックと呼ばれていた）のみだった。そもそもヒョウモントカゲモドキがまだ高価で、マーフィーパターンレスは特に高い値段がつけられていた。当時のマーフィーパターンレスは劣性遺伝する尾曲がりの遺伝子をもつ個体が多かったが、彼が飼育していた個体はこの遺伝子をもっていなかった。

私は彼の留守中の生体と餌（フタホシコオロギ）の世話をアルバイトとして引き受け、ヒョウモントカゲモドキの初歩的な飼育方法と、フタホシコオロギの繁殖方法を学んだ。ヒョウモントカゲモドキの世話はまだしも、フタホシコオロギについては鳴き声の大きさと臭気のひどさに辟易して自家繁殖は諦めた。私は彼からもらった野生色の雄を単独飼育するとともに、フタホシコオロギ（成虫の１～２齢前）をもらって餌にしていたのだが、ストック中に成虫になって鳴き始める個体には閉口した。この時の体験は、私が後にヒョウモントカゲモドキのブリーダーになり、コオロギの自家繁殖を始める際に役立っている。

2000年以降は爬虫両生類の専門店が増え、国内の爬虫両生類ブリーダーも増加、日本産CB専門を含むブリーダーズイベントや爬虫類イベントも行われている。現在、一般的なトカゲ類で国産CBが出回る種は多く、海外からの輸入もCB、WCを問わず少なくない。爬虫類用の餌や飼育器具にしても年々さらに便利なものが出回っている。

また近年では生き餌以外にフリーズドライや缶詰、冷凍等の昆虫やその他の餌用無脊椎動物でトカゲ類に使用できるものが増えている。雑食や植物食のトカゲ用等の配合飼料に加えカメ用の配合飼料等、トカゲ類に転用可能な製品も増えた。さらにヒョウモントカゲモドキ、イグアナ類、フトアゴヒゲトカゲ*Pogona vitticeps*、ミカドヤモリ属（*Rhacodactylus*）等に向けた専用の配合飼料も流通している。配合飼料のタイプも、ペレット状やタブレット状だけでなく、ゲル状やゼリー状の製品等も登場、飼育器具の種類数の増加や、性能向上は現在も進行している。

人気種の多いトカゲ類配合飼料は慎重に

爬虫類ペットの中でも、特に人気種を含むトカゲ類。飼育情報も多いが、問題が起きないかというとそうではない。配合飼料やサプリメントの使い方等、気をつけなければならない事項が少なくない。

ヒョウモントカゲモドキ *Eublepharis macularius*

フトアゴヒゲトカゲ *Pogona vitticeps*

ハスオビアオジタトカゲの亜種 キタアオジタトカゲ *Tiliqua scincoides intermedia*

現在、トカゲの餌の質は非常によくなり、飼育器具の種類数も増えて、性能も向上している。さらに、飼育情報の充実や蓄積も進んでおり、トカゲ類を飼育するための環境は現在ではかなり進歩しているといえるだろう。しかし、それらを使いこなすには相応の知識が必要となる。飼育法を記したケアシートや適切な餌、高性能の飼育器具というだけでは不十分なケースもある。

飼育の過程で、個体に何らかの健康問題が生じることは少なくない。また、問題が生じているにもかかわらず、それを認識できていないというケースも多い。種の特徴や生態を理解した上で、飼育個体の個性も把握して対応することを忘れてはならない。

トカゲ類においてもっとも飼育の容易な種はヒョウモントカゲモドキ、フトアゴヒゲトカゲ、キタアオジタトカゲ*Tiliqua scincoides intermedia*等のやや小型から中型の種である。これらは各種モルフ（CB個体）が出回っており、配合飼料やコオロギ、市販の野菜等の他、コオロギ等の手に入りやすい昆虫に餌付き、なおかつそれらのみで飼育できる。

またCB化されているというだけではなく、累代繁殖も進んでおり、非常に珍しいモルフを捜すのでもなければ、健康な状態の個体を比較的安価に入手することができる。そして、飼育に関する間違いのない情報を入手しやすいことからも飼いやすいといえるだろう。

しかし、これらの種に健康問題が生じないかというとそうではない。例えばヒョウモントカゲモドキは、雌の成体を単独飼育した際に排卵が起こってしまうと、卵胞や無精卵の吸収や排泄がうまく行かず深刻なトラブルへと発展することが多い。また雄の成体は発情すると餌を食べなくなってしまうことが多く、そうした知識がなければ不安になる飼育者もいるだろう。

さらに動物食であるため糞は匂いがある。配合飼料の給餌で多少そうした匂いは改善するものの、食欲が落ちた際には生きた昆虫の給餌が必要となることもある。またごく若い幼体を除き、複数飼育には向かない種だといえる。成体の雄同士は時には相手を殺すほど激しく争うためだ。性別がわかる亜成体以上の同居は繁殖のための短期間のペアリング時期を除き、基本的に避けるべきである。同サイズの雌同士（可能なら同腹のシブリング）で、相性が良ければ餌を切らさない条件で同居できる程度と考えたほうがよい。

また、飼育下では成体に欲しがるだけ給餌すると、繁殖を行わなかった場合に著しく肥満し、それが原因で死亡することがある。

フトアゴヒゲトカゲは高温のホットスポットと紫外線を含む照明が必須となる。全長で50cm程度にまで達する中型種であり、動きも活発で突進力もあるため（吻端の怪我につながる）、飼育個体のサイズと比較して大きめのケージが必要である。また、この種もヒョウモントカゲモドキと同様、成体の雄どうしは激しく争い、幼体の一時期を除き複数飼育には向かない。また、繁殖は比較的容易だが、１回の産卵数が11～30個と多

イエコオロギを食べるフトアゴヒゲトカゲ。昆虫への嗜好性が高く、栄養価を考えるとコオロギと野菜、配合飼料を併用するとよい。

く、飼育下では2クラッチ以上を産卵することもある。それを考えるとブリーダーの負担は大きく、繁殖のハードルがかなり高いことは覚えておくべきだろう。また、本種は植物食ではなく雑食で、しかも動物食傾向が強く、まったく動物質を与えずに飼育することは難しいと考えなければならない。この種も餌食いが低下すれば生きた昆虫を与える必要がある。

ハスオビアオジタトカゲは、先の2種と比較して大きくなり、飼育下では全長が60cm以上に達することもある。尾がやや短いこともあり、相対的に大きく感じられることだろう。この種は動きが比較的緩やかだが、平面的に活動するため広いケージが必要となる。また成長は早く、比較的早い段階で大型のケージが必要となる。紫外線は必要ないとされることが多いが、ビタミンD_3を含むカルシウム剤を常用していても代謝性骨疾患になる個体がおり、できれば紫外線照射はあったほうがよいだろう。

腹面が冷えると消化不良から体調を崩しやすい。幼体はともかく、成体は大食いで排泄量も多く、動物質を好むため、糞の匂いは特に強い。少しでも掃除をさぼれば、すぐにケージ内は不潔な状態になることだろう。なおこの種は胎生だが、繁殖させるためにはしっかりしたクーリングが必須となる。成体の雄同士は協調性が低く、発情した雄は雌に対して攻撃的なので、常時のペア飼育は避ける必要がある。

このように現在、飼いやすいとされているトカゲ類でも、飼育にあたっては様々な注意点がある。しかしそれらは比較的容易に解決できる問題で、だからこそ多数の飼育・繁殖ができているという状況がある。より情報の少ない種、情報を自力で集めることが困難な種など、飼育の難しい種は、さらに多くの問題を生じる可能性がある。また、極端に小さな種や、逆に非常に大きくなる種は、適切な餌や飼育器具の入手が難しい可能性も少なくない。

生体の価格についてはWC個体の場合、飼育の難易度より原産地での捕獲のしやすさ、輸入のしやすさ等が反映される。廉価だから飼育も難しくないかとい

うとそうではないだろう。むしろ安く売られている種については採集、輸出、流通等の過程で状態が悪くなった個体の割合も高く、かえって健全な飼育が難しいケースもある。

トカゲ類を飼育する際にも、飼育前にその種の食性と最大サイズを把握しなければならない。この２つにより、成長の過程においてどういった餌や飼育設備が必要になるかを推測することができる。それにより飼育ができるかを判断する。また、トカゲ類では幼体から成体になるまでの成長スピードが早いものが多く、短時間で性成熟する種も少なくない。しかし成長期に充分な餌を与えず、成長を鈍化させてしまうと、虚弱な個体や発育不良の個体となってしまうことも多い。生体の「衝動買い」は非常に危険であり、扱ったことのない種類のトカゲ（他の爬虫類でも同様だが）に対して、充分な下調べを行うことを忘れてはならない。

さて、トカゲを新たに購入する際、事前の下調べに加え、購入前に与えられている餌の種類とサイズを訊いておく必要がある。そして、特定の配合飼料で飼育しようとした場合、その配合飼料で餌付けていることがわかっているブリーダーや業者から購入するのがよいだろう。餌から購入業者を選ぶという方法もあるのである。

購入した個体は帰宅してケージに収納した後、水だけは飲める状態にして、餌はやらずに数日放置する。トカゲについても給餌より新たな飼育環境になれさせることを重視するべきで、最低でも２、３日おいてから餌を与える。

最初の餌は食べない場合もあるので、まずは少量を用意する。かなり人慣れした個体であれば、いきなりピンセットから食べる場合もあるが通常は難しい。複雑なレイアウトのあるケージや高低差があるケージで生き餌を与える場合、餌の存在をトカゲ側が認識しづらいこともあるので、ピンセットでの給餌ができない場合には、トカゲ類が捕食しやすく餌が逃げにくい餌入れをトカゲが接近しやすい場所に用意するとよいだろう。その他、水入れも保温器具等の影響

アオジタトカゲ属では最大全長60㎝程度に達する巨大な種もいる。ハスオビアオジタトカゲはその1種で、オーストラリアに分布する2亜種（キタアオジタトカゲとヒガシアオジタトカゲ*T. s.scincoides*）、およびインドネシア（タニンバル諸島）に生息する1亜種タニンバールアオジタトカゲ（*T. s. chimaerea*）に分類されている。写真はキタアオジタトカゲ。

餌の切り替えが必要になる種と手法

成長により動物食から植物食へ切り替え	成長により大型化し昆虫等から マウスや肉類へ切り替え
フトアゴヒゲトカゲ、ホカケトカゲ類、 テグー類、グレイオオトカゲ等	中型以上のオオトカゲ、テグー、 バルカンヘビガタトカゲ、 大型のアオジタトカゲ等
手法 ・急な変更は難しいため、幼体時から少しずつ植物質を与える。 ・動物質の餌に植物質の餌を混ぜ、徐々に植物質を増やす。 ・雑食種用の配合飼料に餌付かせた後、植物質の配合飼料に餌付かせる(配合飼料による誘導で餌を切り替える)。	**手法** ・比較的切り替えが容易な種が多いが、動かない餌への反応が悪い場合には、あらかじめピンセットからの給餌を学習させる。 ・ネズミ類やヒヨコに昆虫の匂いをつけるか、昆虫を原材料とした飼料のうち粉末状のものをふりかけて与える。 ・与えるべき肉類に昆虫を原材料とした粉末飼料などを混ぜ込んで与える。

を受けにくく、トカゲが利用しやすい場所に設置しなければならない。

飼育下でも野生下の餌と同じものを与えることが理想だが、飼育種の原産地に近い場所で頻繁に採集が行えなければ現実的とはいえないだろう。できることといえば、野生下での餌を調べた上で、入手可能な代用食を確保することである。

また、代用食の給餌と同時に配合飼料やサプリメントで不足分の栄養素を補う必要がある。特定の餌で済ませることは飼育者にとっては楽だが、飼育個体の健康を害する可能性も少なくない。

ときには飼育個体が餌を食べない、あるいはそれまでに与えていた餌を給餌できないケースがある。具体的には1.餌付け済として販売されていた個体が実際は餌付け前である、2.環境変化で食べていた餌を食べなくなる、3.単食させていた餌が入手できなくなる等である。また、たとえコオロギに餌付け済の個体でも、コオロギの種類が違うと食べなくなることもある。

既に餌付け済の個体でも、食性の幅を広げたいと考えた際や、幼体から成体への食性変化に対応する際には、冷凍やフリーズドライの昆虫や配合飼料等に餌付かせる必要がある。

その方法としては、1.嗜好性の高い餌の匂いを与えるべき餌に付ける、2.それぞれを混ぜて与える、3.ゼラチンや寒天で一緒に固めて与える、4.一方を練り餌状にして他方に塗る等が考えられる。

なお、餌付けの際、嗜好性の高い餌から与え始めるとしても、その餌のみでは「固執(48頁)」が進む恐れがある。また雑食性で植物質をよく食べるとされる種であっても、幼体時には動物質を好む場合が少なくない。特に昆虫類等の生き餌への反応がよい個体が多いので、人工飼料や野菜を食べない際には生きた昆虫を試すとよいだろう。

虫食性の種を配合飼料に餌づける場合や、生き餌から冷凍餌に餌づける場合、若い個体はより学習効果が高く、餌

虫食性の種に配合飼料を餌付ける方法

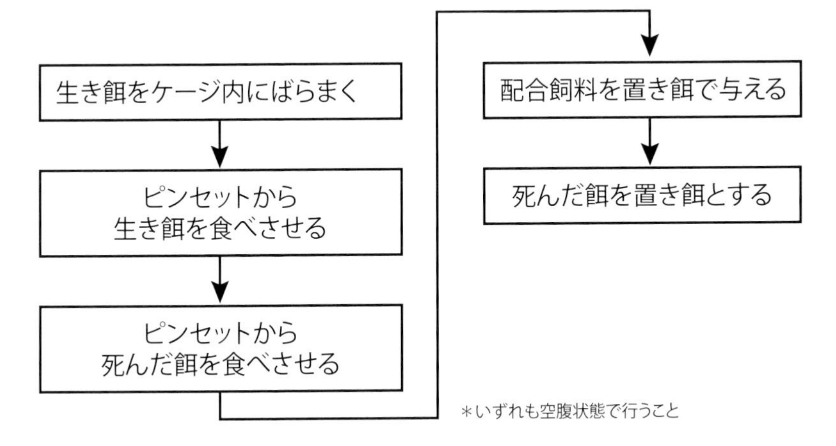

付けが容易な傾向がある。そして、若い時に学習した「餌かどうか」の認識は、その個体の成長後にも大きく影響する。

生き餌をケージ内にばらまくことでまず餌付け、次にピンセットから同じ生き餌、その後死んだもの餌づければ、ピンセットで眼前に食べ物がやって来ることを学習させやすい。こうなれば配合飼料への移行もスムーズで、やがては置き餌で死んだ生物を食べさせることもできる。なお、これらの過程は空腹状態で行うのが重要である。

私はヒョウモントカゲモドキやニシアフリカトカゲモドキ*Hemitheconyx caudicinctus*には炭酸カルシウムを中心としたサプリメントでダスティングしたイエコオロギを主食とさせているが、時々デュビアやミルワーム、ジャイアントミルワーム、ハニーワーム等も与えている。

この際、ミルワームやジャイアントミルワーム、ハニーワームに対しては富栄養な餌を与えてから飼育固体に給仕する「ローディング」を行う。またミルワームや小型のデュビアは餌入れ内に置き餌として与えることもあるが、他の餌については基本的に「ばらまき」である。

こうした「ばらまき」は飼育個体数が多い場合等、個体ごとにピンセットで与える時間を取れないケースに便利だが、基本的に後肢を取る、顎を潰すといった処理を行う必要はない。ただしジャイアントミルワームやハニーワームは、床材やペットシーツ内にもぐり込んだり、ケージの隙間から脱走することがあるため、基本的に食べ尽くす量のみ与えるようにする。イエコオロギは食い尽くす量より少し多めに与え、給餌から数日は餌が残るようにするとよいだろう。

ヒョウモントカゲモドキにはこれまで、専用の配合飼料も数種試してみた。空腹状態であればピンセットから食べる個体もいたが、3～5割程度の個体は置き餌では食べなかった。ただし消化が良過ぎるためか、排泄までの時間が生きた昆虫を与えた場合より短く、次の餌を要求するのが早かった。

また、ヒョウモントカゲモドキの成体の餌を生きたコオロギから配合飼料に

ヒョウモントカゲモドキ・ニシアフリカトカゲモドキ等に与えられる餌とその特徴

◎ー非常に向いている・非常に容易／○ー向いている・しやすい／
△ーあまり向かない・しにくい／×ーできない・非常に困難

	コオロギ	ゴキブリ（レッドローチ等）	ミルワーム	ジャイアントミルワーム
主食として使用	◎	◎	○	○
入手性	○	○	○	○
ストック	○	○	○	△
自家繁殖	◎	○	○	△
ローディング	必要	必要	必ず行いたい	必要
カルシウムのダスティング	必要	必要	必要	必要
脱走	ややしやすい	しにくい	しにくい	しにくい
同居の個体への攻撃	ややしやすい	しにくい	しにくい	する
高温のホットスポット（消化に影響）	必要	必要	必ず行いたい	必要

完全に切り替え、同頻度で毎回満腹するまで餌を与えていたところ、急激に肥満が進んだという事例もある。これらを考えれば消化の良さやカロリーの高さを考慮し、配合飼料を単食させる場合には、一度の給餌量を抑える方がよいだろう。

なお、現在流通している昆虫食のトカゲ用配合飼料の多くは、その「昆虫」を原材料に含むものである。しかし魚粉や鶏肉、獣肉等を主成分とした配合飼料やピンクマウス、雛ウズラを昆虫食のトカゲに主食として与えることの是非は考えなくてはならないだろう。これらを補食として少量与えるのであれば影響は少ないだろうが、野生下と著しく異なる餌への餌付けは飼育個体の内臓への負担が大きく、長期的には悪影響が懸念される。

これらの餌で長期飼育や累代繁殖が可能とした実績があれば、その種の要求を充分に満たしたと判断できるが、これまでにそうした事例は多くない。

かつてはオオトカゲ類に対しマウスやラットの給餌が推奨されており、単食させる飼育者も多かった。しかし、最近ではミズオオトカゲ*Varanus salvator*のような大型種も含めてオオトカゲ類には昆虫を積極的に与える方がよいとされ、ネズミ類の単食では短命に終わるといわれる。

カイマントカゲ属（*Dracaena*）は水棲の巻貝食のトカゲで、かつて飼育下では生きた淡水産の巻貝のみを与えるものとされていた。この種は野生下でも食物の大部分が水棲の巻貝だが、少量ながら同所的に生息している両生類や魚類、甲殻類、二枚貝、水生昆虫等水棲の様々な動物を食べていることがわかっている。そして、現在ではCB個体を幼体から育てる場合、脂肪分の少ない（海産を含む）巻貝や二枚貝のむき身、シチメンチョウの肉、ワニ用のペレットフード、キ

フェニックスワーム	ハニーワーム	カイコ	ワラジムシ	ピンクマウス	配合飼料
○	×	△	△	△	○
△	△	△	△	○	○
△	△	×	○	○	◎
△	△	×	△	×	—
必要	必ず行いたい	必ず行いたい	必要	不要	—
不要	必ず行いたい	必ず行いたい	不要	不要	不要
しやすい(成虫)	しやすい	しにくい	しにくい	しない	—
しにくい	しにくい	しにくい	しにくい	しない	—
必ず行いたい	必ず行いたい	必ず行いたい	必要	必ず行いたい	必要

ャットフード、魚、果物等を給餌して長期飼育できることが知られている。なお、同種は毛や羽毛、固まった脂肪は消化できないため、マウスやヒヨコ、脂肪の多い鶏肉等を餌として与えてはならない。

トカゲもヘビと同様、健康な状態であれば、水分補給だけで数日程度の絶食で問題が生じることは少ない。孵化後間もない幼体の場合は代謝が高いため、餌頻度を多くする必要があるが、長期の留守でなければ直前に給餌し、帰宅後すぐにまた給餌するなら問題はないと考えられる。1週間以上留守にする場合には、植物食性の種であれば餌となる植物をケージ内に鉢植え等にして置いておくのもよいだろう。また動物質を食べる種では、乾燥した餌と一緒にミルワームや小型のデュビア等の脱走しにくい生きた昆虫を餌容器に入れておく方法がある。

普段からばらまき型の給餌を行なっているのであれば、多少残す程度の数の生きた昆虫を留守にする直前に与えてもよい。しかし、昆虫の種によってはトカゲが攻撃される可能性もある。それを避けるためには、餌昆虫の好む餌をケージ内に置くか、昆虫が給水可能な環境を用意するとよいだろう。

複数個体を同居飼育(ペアリングの最中を含む)させる場合には、腹が減った個体が共食いしたり、他の個体の指や尻尾を齧ったりする可能性がある。またヘビ同様、水入れ内に排泄した場合や、餌の昆虫が水入れで死亡して腐敗した場合、水が飲めず脱水となることがある。これを防ぐためには水入れのチェックだけは人に頼むか、(トカゲが中に入り込めない底面積の小さなもの等)複数の水入れを設ける必要がある。なお普段餌から水分をとり飲水しない個体も、絶食時には水を飲むことがある。ドリップ式の給水器を使用するのであれば、充分な水容量があるものを用意した方がよいだろう。

餌から水分補給するが水入れの設置も必須

野菜や配合飼料等、手に入りやすい餌を食べる種が多い。給餌管理で気をつけるべきは餌やり後の消化促進や、給水器具の設置、配合飼料の使い方等である。

ヒロオビフィジーイグアナ *Brachylophus fasciatus*

サバクイグアナ *Dipsosaurus dorsalis dorsalis*

ベーメバタフライアガマの1種 *leiolepis boehmei*

オマキトカゲ *Corucia zebrata*

イグアナ科のイグアナ属（*Iguana*）、フィジーイグアナ属（*Brachylophus*）、オカイグアナ属（*Conolophus*）、サバクイグアナ属（*Dipsosaurus*）、チャクワラ属（*Sauromalus*）等、そしてアガマ科のバタフライアガマ属（*Leiolepis*）、トゲオアガマ属（*Uromastyx*）の大部分、さらにスキンク科のオマキトカゲ*Corucia zebrata*は樹木の葉や花、果実、草本やサボテン等の多肉食物を食べる植物食である（種により幼体時に多少虫食性がある）。これらは、一口に「植物食」といっても草本や樹木の葉を中心に食べている種と、同時に果実や花等も食べる種に分けられる。飼育下の餌としては植物食のリクガメ科が好む野菜や野草を中心に与え、時には果実類を補食とするとよいだろう。

海中で海藻を食べるウミイグアナ（*Amblyrhynchus cristatus*）。鼻に塩類腺をもつ。ガラパゴス・フェルナンディナ島付近。

グリーンイグアナ*Iguana iguana*や植物食の爬虫類用の配合飼料を与えてもよいが、製品によってはカロリーが高く、常用したり単独で使用したりしない方がよいものもある。特に雑食性のリクガメ科や、果実や花等を主食としているリクガメ科を対象とした製品は、草本や樹木の葉を専食するトカゲの餌には適さない。

トカゲ類のうちウミイグアナ属（*Amblyrhynchus*）だけは、例外的に緑藻類や紅藻類等の海藻を海中や波打ち際で専食している。しかし水温の上昇等で海藻が不足すると、陸上でサボテンや海浜植物を食べることがある。過去には同種やアシカ、カニ類の糞を食べていたという観察事例もある。

同種の糞を食べる行動は孵化後間もない幼体で観察されている。こうした行動は消化管内に共生し、藻類の消化を助けている腸内細菌を獲得する目的があると考えられている。同様に幼体が糞を食べる様子は、他種のイグアナ科や、リクガメ類の一部でも観察されることがある。ウミイグアナ属の飼育例は多くないが、これまでの例では緑藻類や紅藻類の海藻を主食として飼育されている。

リクガメ類と同様に、こうした植物食のトカゲ類では食物中のセルロースの分解が自力ではできず、消化管内に共生している腸内細菌の作用でセルロースを分解し、単糖類を得ている。そして、こうした腸内細菌群の活発化には体温の高さが重要であり、腹面が冷えると消化不良や便秘等の悪影響が生じる。こうしたことから、植物食のトカゲについては、給餌後にケージの底面が冷えないよう効果的な底面からの保温が不可欠である。

また、彼らは餌植物から水分を摂取しており、特に乾燥地に生息する種では通常、積極的に飲水することはない。しかし、給餌後、特に配合飼料を与えた後では積極的に水を飲むので、飼育下でも水入れを設置する必要がある。樹上棲傾向の強い種では、床面の水入れからは飲水しないので、ドリップ式給水器等で給水を行う。

植物食性のトカゲ（主な種）の餌：量と給餌頻度の目安

種名	餌の種類	1回の餌の量	給餌頻度	備考
グリーンイグアナ（全長40 cm）	葉野菜、果実、野草、配合飼料	20～40 g	毎日	葉野菜中心に給餌し、配合飼料は草食トカゲ用を半分未満
（全長120 cm）	葉野菜、果実、野草、配合飼料	400～600 g	週２～３回	葉野菜中心に給餌し、配合飼料は草食トカゲ用を２割未満
サバクトゲオアガマ（全長40 cm）	葉野菜、果実、野草、配合飼料	70～100 g	週２～３回	葉野菜中心に給餌し、配合飼料は草食トカゲ用を３割未満
オマキトカゲ（全長50 cm）	葉野菜、果実、野草、配合飼料	40～06 g	週２～３回	葉野菜中心に給餌し、配合飼料は草食トカゲ用を３割未満

＊個体差もあるので一応の目安と考え。餌の種類、食欲や太り具合等を見て適宜増減させる。クーリング中や脱皮期間中は餌量や給餌頻度も減らす。

果実や野菜の他
配合飼料も併用可

身体が大きくなるトカゲ類では、ヘビ類と同じく内温性脊椎動物を餌としている種が多い。補食として精肉や鶏卵を利用できる他、専用の配合飼料も製品化されている。

ペレンティーオオトカゲ
Varanus giganteus

コモドオオトカゲ　*Varanus komodoensis*

レースオオトカゲ
Varanus varius

ハナブトオオトカゲ
Varanus salvadorii

中型以上のオオトカゲ科の大半は昆虫等の無脊椎動物も食べるが、脊椎動物食の傾向が強い。捕食対象としている脊椎動物には魚類、両生類、爬虫類、鳥類（卵を含む）、哺乳類等がいる。オオトカゲ科でも特に大型なオニオオトカゲ亜属（*Varanus*）のペレンティオオトカゲ（*V.giganteus*）、コモドオオトカゲ（*V. komodoensis*）、レースオオトカゲ（*V. varius*）や、パプアオオトカゲ亜属（*Papusaurus*）のハナブトオオトカゲ（*V. salvadori*）では哺乳類食の傾向が強くなり、中型以上の哺乳類をも捕食する。

オオトカゲ科に近縁とされるドクトカゲ科も脊椎動物食性の強い動物食で、トカゲ類やヘビ類等の爬虫類やその卵、鳥類の雛や卵、さらに小型の哺乳類等も

野生下では鳥の卵も大型のトカゲ類の餌食となりやすい。ズアカカンムリウズラ*Callipepla gambelii*の卵を食べるアメリカドクトカゲ*Heloderma suspectum*。アメリカ・アリゾナ州南東部のツーソン郊外で。

食べている。例外はフィリピンオオトカゲ亜属（*Philippinosaurus*）の３種で、これらは果実食ないし果実食性の強い雑食である。

またテユー科のキイロテグー属（*Tupinambis*）やミナミテグー属（*Salvator*）は動物食性の強い雑食である。幼体時にはほぼ虫食性で昆虫やその他の陸棲節足動物、巻貝を食べるが、成体になると魚類や爬虫両生類、鳥類（卵を含む）、小型哺乳類の割合が増える他、果実等も食べるようになる。

フィリピンオオトカゲ亜属を除いた中～大型のオオトカゲ類に対しては、野生下での食性も考慮して、昆虫や陸産の節足動物、巻貝等を中心に（水棲傾向の強い種では淡水魚や甲殻類も餌に利用できる）、鳥類やネズミ類の給餌を行うのがよいだろう。

また鳥類や哺乳類を捕食することの多い大型種やドクトカゲ科では鳥類、哺乳類中心の給餌でよいが、これらも幼体時には無脊椎動物を主食としている。また鶏肉や獣肉、鶏卵等も与えれば食べるが、単独では栄養面のバランスが悪く、あくまで補食として利用するだけにとどめておいた方がよい。最近では、動物食性のオオトカゲ用の配合飼料も流通するようになった。これは今後、オオトカゲ飼育の福音となる可能性がある。なお、この配合飼料はドクトカゲ科にも使用できると思われる。

テグー類は幼体時には雑食性のトカゲ同様、昆虫を餌として飼育することができる。また、亜成体以上では左段下部に記した中～大型のオオトカゲ類向けの餌に加え、果実や野菜等を与えるとよいだろう。このテグーと同じく、動物食性の強い雑食種であるアオジタトカゲ用に製造された配合飼料等を与えてもよいが、高カロリーのドッグフードの常用は避けるべきである。またオオトカゲ用の配合飼料も、植物質と併用してならば与えてもよい。なお、多くの種が積極的に水を飲むので、水入れは必ず設置する必要がある。

脊椎動物食傾向のトカゲ（主な種）の餌：量と給餌頻度の目安

種名	餌の種類	１回の餌の量	給餌頻度	備考
ミズオオトカゲ（全長40 cm）	昆虫、甲殻類、雛ウズラ、マウス、配合飼料	15～30 g	隔日	配合飼料は動物食のオオトカゲ用を半分未満
（全長100 cm）	昆虫、甲殻類、ヒヨコ、ネズミ、鶏肉、配合飼料	200～400 g	週１～２回	鶏肉は頭頸部を、配合飼料は動物食のオオトカゲ用を３割未満
アメリカドクトカゲ（全長50 cm）	昆虫、マウス、雛ウズラ、鶏卵	60～80 g	週１～２回	
ミナミテグー（全長70 cm）	昆虫、マウス、ヒヨコ、鶏卵、果実、配合飼料	60～80 g	週１～２回	葉野菜中心に給餌し、配合飼料は動物食トカゲ用を３割未満

＊個体差もあるので一応の目安と考え。餌の種類、食欲や太り具合等を見て適宜増減させる。クーリング中や脱皮期間中は餌量や給餌頻度も減らす。

トカゲ類の餌やり | 5 | 虫食性の強い雑食性のトカゲ

無脊椎動物だけでなく果菜類も広く食す種が多い

トカゲ類の中でも多くの種を含むのがこのグループである。ただし特定の昆虫、無脊椎動物に依存している種もおり、栄養価を鑑みて給餌の工夫が必要になることもある。

トゲオオオトカゲ
Varanus acanthurus

ザラハダイグアナ
Cyclura carinata

ミニマヒメカメレオン
Brookesia minima

ナマクアカメレオン
Cyclura carinata

樹上棲と地中棲を除いた小型トカゲ類と、中型トカゲ類の大多数はこのグループに属す。具体的にはオオトカゲ科のヒメオオトカゲ亜属（*Odatria*）、ツチイグアナ属（*Cyclura*）、トゲオイグアナ属（*Ctenopus*）等の地上棲ないし半樹上棲のイグアナ上科、地上棲のアガマ科、カメレオン科のヒメカメレオン属（*Brookesia*）とナマクアカメレオン*Chamaeleo namaquensis*、トカゲモドキ科やヒレアシトカゲ科等の地上棲のヤモリ下目、樹上棲や地中棲以外のスキンク科、カナヘビ上科の大部分、カタトカゲ科とヨロイトカゲ科の大部分、ヨルトカゲ科、アシナシトカゲ科の大部分、ワニトカゲ科、ミミナシオオトカゲ科等である。

生息環境や生息場所、生態が様々に

特徴的な食性をもつ種

幼体では虫食性でも 成体では脊椎動物食が強まる	スペシャリストの虫食性種
・ヒメオオトカゲ亜属の一部 （比較的大型の種） ・クビワトカゲ科 ・大型のアオジタトカゲ属 ・バルカンヘビガタトカゲ ・オバケトカゲモドキ （*Eublepharis angramainyu*） ・バートンヒレアシトカゲ ・ジカールヒレアシトカゲ	・カイマントカゲ属（巻貝） ・モロクトカゲ（アリ、シロアリ） ・ツノトカゲ属（アリ、シロアリ） ・トビトカゲ属（アリ、シロアリ） ・テイラートカゲモドキ（シロアリ） 等

異なり、それに合わせた飼育ケージが必要となる。また、昼行性・夜行性の種も混在し、それにより紫外線の照射やホットスポットの設置の要不要も変わる。

草本や低木の上等、地表よりも高い場所で活動する種も多い他、地中棲とは言えないまでも、非活動時には地中に穴を掘って隠れる種もいる。砂漠や荒れ地等の乾燥地に生息する種がいる一方で、湿地や水辺に生息するか、半水棲でしばしば水中で採餌や活動を行う種もいる。

これら虫食性のトカゲ類の多くは「ジェネラリスト」であり、昆虫なら種を問わず食べるものが少なくない。そこで餌は入手性を重視するとよいだろう。飼育初期にはケージ内に生きた昆虫をばらまくとよいが、ピンセットからの給餌に慣れさせることで、死んだ昆虫や配合飼料（昆虫食や雑食のトカゲ用に製造されたもの）にも餌付けやすくなる。

また大型種では野生下で爬虫両生類、鶏の雛や卵、小型の哺乳類を食べている種もいる。具体的にはヒメオオトカゲ亜属の比較的大きくなる種、イグアナ上科のクビワトカゲ科、スキンク科のアオジタトカゲ属（*Tiliqua*）のうち大型になる種、アシナシトカゲ科のバルカンヘビガタトカゲ*Pseudopus apodus*、トカゲモドキ科のオバケトカゲモドキ*Eublepharis angramainyu*、大型のヒレアシトカゲ科等である。

虫食性（動物食性）が強いとされる種であっても雑食の性質をもち、果実や野菜を食べる種も少なからずいる。また、幼体では虫食傾向が強いものの、成体になると葉野菜等を好む植物食よりの雑食となる種もいる。例えば、アガマ科のホカケトカゲ属（*Hydrosaurus*）、アゴヒゲトカゲ属（*Pogona*）、ウォータードラゴン属（*Physignatus*）や、カナヘビ科のカナリアカナヘビ属（*Gallotia*）、カタトカゲ科のプレートトカゲ属（*Gerrhosaurus*）やオビトカゲ属（*Zonosaurus*）等である。これらの種には植物食のトカゲ類向けに製造された植物性飼料も併用するとよいだろう。

一方で、このグループ内には水棲巻貝を専食しているカイマントカゲ属（*Dracaena*）のようなスペシャリストもいる。またアガマ科のモロクトカゲ

ミミナシオオトカゲ*Lanthanotus borneensis*。野生下では無脊椎動物を食べているものと思われるが、詳しい生態は明らかになっていない。飼育下では意外に多くの動物質を食べる個体がいることが判明した。

*Moloch horridus*やツノトカゲ科のツノトカゲ属（*Phrynosoma*）、トカゲモドキ科のテイラートカゲモドキ*Hemitheconyx taylori*はアリまたはシロアリを主食としている。

これらスペシャリストの種には野生下で食べている餌に近いものを与える必要がある。なお、半水棲のミミナシオオトカゲ*Lanthanotus borneensis*はかつて、飼育下で「ミミズしか食べない」と言われていたが、近年、飼育下では複数種の陸棲昆虫、魚、肉片を食べることがわかっている。

このグループも野生下で砂漠に棲む種を除いて、できるだけ水入れを常設した方がよいだろう。特に立体的な活動の多い種では、底面だけでなく壁面やケージ内に設置した枝等にも給水場所を設置する必要がある。その他、乾燥を好む種でもケージの一角にやや湿った環境（湿性のシェルター等）を設置し、そこに小型の水入れを置くとよいだろう。給水の方法としては、他にスポイトや霧吹きなどで水を飲ませるといった方法もある。

巻貝を食べるカイマントカゲ。食性の偏った「スペシャリスト」は飼育下の餌にも特殊性が求められる。

虫食性傾向の強い雑食性のトカゲ（主な種）の餌：量と給餌頻度の目安

種名	餌の種類	1回の餌の量	給餌頻度	備考
ツギオトゲオイグアナ（全長30 cm）	昆虫、野菜、果実、配合飼料	20〜30 g	毎日	配合飼料は雑食性トカゲ用を5割未満
（全長90 cm）	野菜、果実、昆虫、配合飼料	400〜500 g	週2〜3回	配合飼料は雑食性トカゲ用を3割未満
フトアゴヒゲトカゲ（全長20 cm）	野菜、果実、昆虫、配合飼料	20〜30 g	毎日	配合飼料は専用、雑食性トカゲ用を3割未満
（全長40 cm）	昆虫、ワラジムシ類、配合飼料	120〜150 g	週2〜3回	配合飼料は専用、雑食性トカゲ用を3割未満
ヒョウモントカゲモドキ（全長10 cm）	昆虫、ワラジムシ類、配合飼料	2〜3 g	週4〜5回	配合飼料は専用か昆虫食性トカゲ用を7割未満
（全長25 cm）	昆虫、ワラジムシ類、配合飼料	30〜50g	週1〜2回	配合飼料は専用か昆虫食性トカゲ用を3割未満
バルカンヘビガタトカゲ（全長70 cm）	昆虫、カタツムリ、ウズラ雛、マウス、配合飼料	150〜300 g	週1回	
ハスオビアオジタトカゲ（全長50 cm）	昆虫、カタツムリ、ウズラ雛、マウス、鶏卵	200〜300 g	週1回	配合飼料は専用か雑食性トカゲ用を3割未満
ニホンカナヘビ（全長20 cm）	昆虫、ワラジムシ類	3〜5 g	週2〜3回	
ギアナカイマントカゲ（全長45 cm）	水棲巻貝	5〜20 個体	週1〜2回	給餌個体数は餌の大きさにより増減させる。
オニプレートトカゲ（全長40 cm）	昆虫、カタツムリ、ウズラ雛、マウス、配合飼料	100〜150 g	週1〜2回	配合飼料は専用か雑食性トカゲ用を3割未満

＊個体差もあるので一応の目安と考え。餌の種類、食欲や太り具合等を見て適宜増減させる。クーリング中や脱皮期間中は餌量や給餌頻度も減らす。
トカゲモドキ属やカナヘビ類のように1年に複数クラッチの産卵を行う種では、繁殖雌の各クラッチの産卵の間にはより高頻度で餌を与える。

餌動物や給水方法に「立体性」をもたせる

ほとんどの時間を樹上、ないし高い場所で過ごすことの多い樹上性トカゲたちには、その活動域にあった給餌を行う。また、給水器も同様に高さを意識する必要がある。

アオキノボリアリゲータートカゲ*Abronia graminea*。飼育種として人気があるが、原産地（メキシコ）での森林伐採などにより野生下での個体数は減少している。

このグループは主に樹上で生活し、地上に降りることは少ない。オオトカゲ科のフィリピンオオトカゲ亜属（*Philippinosaurus*）とホソオオトカゲ亜属（*Hapturosaurus*）、アガマ科の一部、多くのカメレオン科の種、カナヘビ上科の一部、スキンク科の一部、ヤモリ下目の非地上棲種、カタトカゲ科の一部、アシナシトカゲ科のキノボリアリゲータートカゲ属（*Abronia*）等がこれにあたる。また、スキンク科のオマキトカゲは樹上棲に特化しているが、食性は植物食となっている。

この項で紹介する多くのトカゲの食性は虫食性の種（158頁）にも近いが、与える種類や給餌法をより吟味する必要がある。特に高さのある広いケージでは、立体的な移動を行わない餌動物はト

餌に壁面を登らせて採餌機会を増やす工夫

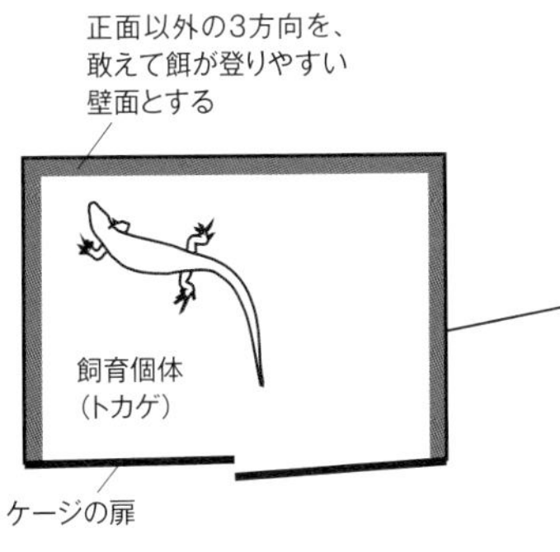

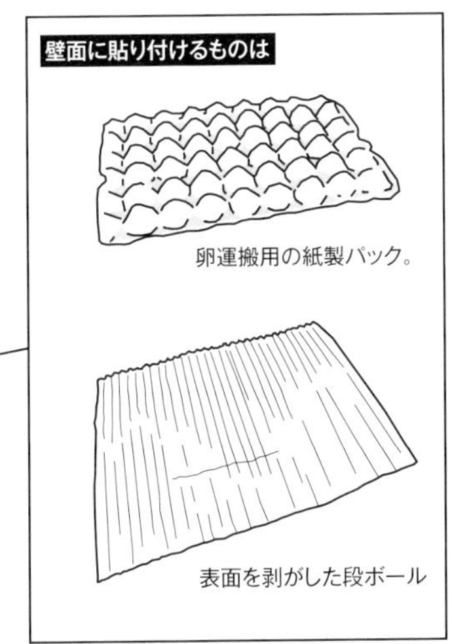

樹上性のトカゲは、ケージ内の高い位置で餌を探すことも多い。活き餌を与える場合には、餌動物に敢えて壁面を登らせることで、飼育個体との遭遇機会を増やし、採餌へと繋げる工夫が必要なこともある。

カゲから餌として認識されにくい。例えばニホンヤモリ等、壁面に付着する生態をもつ小型ヤモリ類をガラス製のケージで飼育する際、床面にコオロギやデュビア、ミルワーム、ワラジムシ等をまいても餌として認識されないことがある。しかしハニーワームの幼虫であれば壁面を上るし、同種の成虫（蛾）であれば飛び周り、壁面にも止まるので、ヤモリに餌として認識されやすい。中型のヤモリならゴキブリでも壁面を上るか、飛行能力のあるもの（グリーンバナナゴキブリ等）であれば餌として与えることができる。

また滑らかな壁面を上れない餌を与えようとする際には、「壁面に上りやすい材質を装着する」という方法がある。具体的にはコルクバーグやヘゴ板、偽植物等の他、見栄えにこだわらなければ卵運搬用の紙製のパック、段ボールの表面の紙を剥がしたもの、植木鉢の針底石用のプラステックメッシュ等が使える。これらをケージ側面の4面のうち正面以外の3面に貼るとよいだろう。壁面を上った昆虫はヤモリと遭遇しやすくなり、餌として認識されるケースが多い。

ケージのサイズが大きい場合や複雑なレイアウトにしている場合には、餌をばらまいただけではトカゲが餌を認識できないケースも考えられる。樹上棲トカゲはケージ内の上部を好むことが多い。この付近を採餌場所とするような工夫をするとよいだろう。具体的には餌動物を出にくい容器に入れて、ケージ内上部に設置する等である。

その他、一時的に飼育用のケージとは別の、より小型のケージ内でピンセットからの給餌を学習させ、「飼育者が近づけば餌をもらえる」と学習させるのもよいだろう。この方法によって大型種にピンクマウスを餌付けることができた事例もある。ただし、内臓面への負担を考えると、ピンクマウスを常用することは避けたほうがよい。

なお、小型のトカゲ類は内臓の消化力が大型のトカゲより弱い一方で、硬いクチクラの外骨格で覆われた昆虫を消化

トウダイグサ科の低木・ハナキリン*Euphorbia milii*の蜜を舐めるオオヒルヤモリ*Phelsuma grandis*。

する。ただし、消化を助けるために周囲の温度よりも体温を上昇させる必要がある。そのためには体温を上げる熱源が不可欠である。昼行性の種であれば高温のホットスポット、さらに夜行性の種であれば夜間も温度が下がりにくい場所を設ける必要がある。

樹上や植物の上で生活するトカゲ類には花やその蜜、果実や種子等を食べる（舐める）等、雑食性の傾向を示す種が多い。特に中小型のヤモリ類では昼行性・夜行性を問わず、こうした性質を持つ種がいる。

また、このような行動はヤモリ類以外の樹上棲トカゲでも見られるものだ。飼育下でもヤモリ類やその他の樹上棲スキンクは昆虫ゼリーをよく舐めるし、果実類を食べることもある。

ヤモリ科のヒルヤモリ属（*Phelsuma*）やマルメヤモリ属（*Lygopdactylus*）、オガサワラヤモリ*Lepidodactylus lugubris*、チビヤモリ科のチビヤモリ属（*Sphaerodactylus*）やソメワケヤモリ属（*Gonatodes*）等の小型種を、生きた植物でレイアウトしたケージで飼育した際、キダチアロエ等の蜜の多い花が咲くと、多くのヤモリが他の餌を無視してそればかり舐めていたという事例も聞いたことがある。

ミカドヤモリ属は幼体時には昆虫を好む個体が多いが、成体になるとヤモリ類の中でも果実食に特化する。この種には専用の配合飼料（粉末に水を加えゲル状にするタイプ）が流通している。かつてはこうしたミカドヤモリ用の配合飼料はかなり食いが悪く、つぶした果実や果実系のヒト用ベビーフード等を混ぜないと食べないケースが多かったが、最近では品質が向上し、嗜好性も高くなってい

水に動きをつけるエアレーション

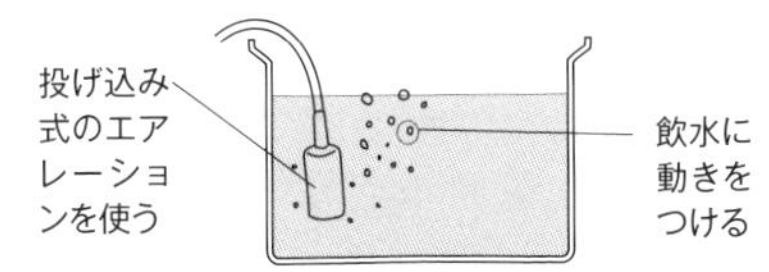

野生下で水滴などから水分補給をしている種では、水に動きをつけないと飲水しない個体もいる。観賞魚用のエアレーションを使うとよいだろう。

る。そのため、種や成長度合いに応じて使い分けができるようになった。

また、この配合飼料は果実を好む他のヤモリ類や樹上棲トカゲ類にも使用することができる。なお、こうした配合飼料を給餌する際には、磁石で壁面に固定できるタイプの餌入れを使用するとよいだろう（他のタイプの餌を与えるのにも使い勝手がよい）。また、この餌入れは給水用としても便利なものだ。

樹上棲の種に関しては十分な給水ができるか、が問題となることが多い。カメレオン用に開発されたドリップ式の給水器を使う方法や、水入れ内に観賞魚用のエアポンプで空気を送る方法は、雨水や植物に凝結した水滴から水分補給する他の樹上棲のトカゲ類にも有効である。

なお、これらの器具はケージ上方に設置する必要があるが、暖房器具やホットスポットの影響を受けない場所を選ぶことが重要だ。その他、霧吹き等の散水で水を飲ませることもできるが、多くの水量を必要とすることから効率性に問題がある。

湿度を保つ目的としても使用できる「ミスト発生装置」も給水用に使用できる。

樹上棲の動物食・雑食のトカゲ（主な種）の餌：量と給餌頻度の目安

種名	餌の種類	1回の餌の量	給餌頻度	備考
ミドリホソオオトカゲ（全長50 cm）	昆虫、ウズラ雛、ピンクマウス	100〜120 g	週1〜2回	
ヒゲカレハカメレオン（全長6 cm）	昆虫（複数種）	1〜2 g	隔日	
エボシカメレオン（全長10 cm）	昆虫（複数種）	3〜5 g	毎日	
（全長40 cm）	昆虫、野菜、果実	100〜120 g	週1〜2回	
イロカエカロテス（全長30 cm）	昆虫、他に果汁を舐める	20〜30 g	週2〜3回	
トッケイヤモリ（全長25 cm）	昆虫、ピンクマウス	30〜50 g	週1〜2回	
オオヒルヤモリ（全長20 cm）	昆虫、果実、昆虫ゼリー	20〜30 g	週2〜3回	
オウカンミカドヤモリ（全長20 cm）	昆虫、果実、配合飼料	20〜30 g	週1〜2回	配合飼料は専用のもの
アオカナヘビ（全長20 cm）	昆虫、果実	3〜5 g	週2〜3回	
ミドリツヤトカゲ（全長20 cm）	昆虫、果実	5〜10 g	週2〜3回	
アオキノボリアリゲータートカゲ（全長20 cm）	昆虫、小型陸棲節足動物	5〜10 g	週1〜2回	
キノボリオビトカゲ（全長25 cm）	昆虫、果実	5〜10 g	週2〜3回	

＊個体差もあるので一応の目安と考え、餌の種類、食欲や太り具合等を見て適宜増減させる。クーリング中や脱皮期間中は餌量や給餌頻度も減らす。多くのヤモリ類のように1年に複数クラッチの産卵を行う種では、繁殖雌の各クラッチの産卵の間にはより高頻度で餌を与える。

嗅覚に頼る採餌傾向で配合飼料に餌づくことも

サイズの小さなものは無脊椎動物を、大きなものでは爬虫類や哺乳類を餌としている。視力の弱い彼らの活動時間帯は、夜間に寄っており、採餌の確認ができないことも多い。

タテスジダーツスキンク
Acontias lineatus

クロスジエンピツトカゲ
Isopachys gyldenstolpei

ヘビガタスナトカゲ属の1種
Ophiomorus punctatissimus

カリフォルニアギンイロアシナシトカゲ
Anniella pulchra

トカゲ類には地中にトンネルを掘って生活する種、分解中の落ち葉等の腐植がたまったリター層を生息場所とする種、砂に潜って生活する種がいる。

具体的にはスキンク科のダーツスキンク属（*Acontias*）、カラカネトカゲ属（*Charcides*）、エンピツトカゲ属（*Isopachys*）、ヘビスキンク属（*Ophiomorus*）、マダガスカルダーツスキンク属（*Pygomeles*）、スナトカゲ属（*Scincus*）、クサビトカゲ属（*Shenops*）等、チビヤモリ科のスキンクヤモリ属（*Teratocincus*）、ギンイロアシナシトカゲ科、フタアシトカゲ科、ピグミーテユー科のバキア属（*Bachia*）、ミミズトカゲ亜目等だ。

この仲間のうち、四肢が発達しそれを用いて穴を掘るスナトカゲ属やスキン

尾を持ち上げ、防御態勢をとるシロハラミミズトカゲ Amphisbaena alba。ブラジル、アマゾン川流域。

クヤモリ属を除き、四肢が退化的な種や四肢を全くもたない「アシナシトカゲ」型の種が多く、しばしば眼が退化的である。また、夜行性の種が多い。

この仲間はいずれも動物食で、昆虫やその他の陸棲節足動物、ミミズ等の無脊椎動物を食べている種が多いが、ダーツスキンク属や、ミミズトカゲ類の大型種は爬虫類や小哺乳類等の脊椎動物を捕食することもある。

視覚が発達したスナトカゲ属やスキンクヤモリ属はピンセットからの給餌に慣れることがあるが、それ以外の種では人の手から直接餌を食べることは難しい。栄養面を考慮して、それ以外の種ではダスティングやローディングした昆虫やダンゴムシ、ワラジムシ、ミミズ（すぐに食べないとダスティングの効果は低い）等をケージ内にまいて給餌する。また多くの場合、こうした餌をすぐには食べないので、餌動物がケージ内で生存可能な環境を維持する必要がある。

また小型の地中棲スキンク科、フタアシトカゲ科、バキア属の小型種は餌として小型の節足動物（コオロギの初齢幼虫、トビムシ、小型のワラジムシ等）やミミズを与えるとよい。なお、採餌が確認できない個体については定期的に体重を計測し、健康状態を確認する必要がある。

ミミズトカゲ類については嗅覚で餌を認識しており、スカベンジャー的な習性もあるのかコオロギやピンクマウスを刻んだものにも餌付けができる。夜間、これらをケージ内に置いておくと地表に現れて食べる。この習性を利用すれば、ヒョウモントカゲモドキやオオトカゲ用に製造された配合飼料に餌付けることもできる可能性がある。他の地中棲のトカゲ類についても、視力が退化的な種は主に嗅覚で餌を認識しているので、同様の餌付けができる可能性がある。

給水については虫食性のトカゲ同様、ケージの一角に湿った環境を作り、小型の水入れを設置するとよい。

地中棲のトカゲの餌：量と給餌頻度の目安

種名	餌の種類	1回の餌の量	給餌頻度	備考
サバンナダーツスキンク（全長20 cm）	シロアリ，ミルワーム，ミミズ	3〜5 g	週2〜3回	
クロスジエンピツトカゲ（全長20 cm）	コオロギ，ミミズ，ワラジムシ	3〜5 g	週2〜3回	
クスシスナトカゲ（全長10 cm）	昆虫	3〜5 g	週2〜3回	
ウナジスキンクヤモリ（全長15 cm）	昆虫	5〜10 g	週2〜3回	
コモチミミズトカゲ（全長15 cm）	昆虫（弱らせたものか冷凍）	3〜5 g	週2〜3回	
シロハラミミズトカゲ（全長45 cm）	昆虫，ミミズ，刻んだピンクマウス	80〜100 g	週1〜2回	

＊個体差もあるので一応の目安と考え、餌の種類、食欲や太り具合等を見て適宜増減させる。クーリング中や脱皮期間中は餌量や給餌頻度も減らす。

嗜好性の高い配合飼料は肥満助長の恐れも

豊富な配合飼料が流通しているトカゲ類だが、肥満傾向の飼育個体も少なくない。彼らにとって肥満は様々な健康障害へとつながる深刻な問題だ。飼育個体を確認し、肥満傾向ならすぐに給餌の改善をしたい。

胎生のヒメアシナシトカゲ*Anguis fragilis*。その親個体と新生児。こうした胎生種では、産仔の直前に絶食させる必要がある。

トカゲ類についても、飼育下ではケージ環境や給餌頻度などを原因とした肥満傾向に陥りやすい。トカゲ類の体型は様々であり、統一的な肥満の指標が存在しないのも厄介である。他の人が飼育している複数の同一種の個体を比較するなどして、標準的な体型を把握することが必要となる。ただし、不安があるようなら、獣医のもとで診断を受け、飼育個体の肥満についての判断基準を相談するとよい。

トカゲ類の繁殖においては、多くの場合、事前にクーリングや冬眠をさせる必要がある。この間は給餌を一切断つが、餌を与えたとしても食欲は低下している。また、胎生種の雌では、妊娠から産仔までの長期間、絶食を行う必要がある。こうした期間をうまく乗り越え、産卵、産仔後の体重回復を速やかに行うためには、繁殖に備え、事前に普段より太らせておくことが重要となる。しかし、過剰に肥満した個体では繁殖率が低下す

マウスの屍骸を食べるアメリカドクトカゲ。この種もマウスを食べる事例は稀で、野生下でマウスやラットを常食するトカゲ類は多くない。飼育下でこれらを餌として与えると肥満傾向になりやすいことは覚えておくべきだろう。

る場合がある。カメ類同様に、個体ごとに頭胴長（吻端から総排泄孔までの距離で生体では全長よりも正確に測りやすい）と体重を記録し、その推移を調べるとよいだろう。

トカゲ類の肥満の解消には給餌の頻度や量を減らすことと並び、脂肪の多い餌や、消化がよくカロリーの高い配合飼料を過剰に与えないことが重要である。生きた餌動物の場合、摂餌に問題のない範囲でサイズを小さくし、小型の餌を多数与えるとよいだろう。これにより総量としては少ない餌で満足することがある。活動性の高い種には、ケージサイズを大きくし、できるだけ飼育温度を高めに設定する。それにより代謝を上げ、消費エネルギーを増やす効果が期待できる。ただし、非活動的な種では、この方法による効果は薄い。

脂肪の少ない餌、カロリーの低い餌への切り替えは効果がある。例えばネズミ類を与える場合、リタイアと呼ばれる個体は通常のアダルトマウスよりも脂肪がかなり多い。

また、無脊椎動物食や外温性脊椎動物食のトカゲにマウスやラット中心の給餌をした場合、非常に肥満することがある。これはネズミ類の栄養価が無脊椎動物や外温性脊椎動物より高いことと関係している。野生下での食性を無視してネズミ類の給餌を行う場合には、餌の頻度や量を抑える必要がある。

トカゲ類の餌として一般的なコオロギでは、成虫一歩手前の幼虫や脱皮直後の成虫は産卵のために多くの脂肪体を蓄えている。これらより小さなサイズほど脂肪が少ない。その他、糖質を多く含む果実類や、消化がよくカロリーも高い配合飼料（動物食や雑食用）は量、頻度とも控えめに給餌する必要がある。

トカゲ類には尾に栄養を蓄えることのできる種が多く、特にヤモリ類では栄養状態のよい個体ほど太く立派な尾をもつ種が多いことが知られている。ヒョウモントカゲモドキはその代表種である。自切した彼らの尾を解剖すると、尾の膨らんでいる部分は白い脂肪を多く含んだ筋肉であり、尾に「脂肪体」はない。しかし、尾が太い個体は胴部に多数の脂肪体を蓄えていることが多く、肝臓も大きくなる。特に肥満している個体は肝臓が白っぽく（脂肪肝に近い状態と見られる。健康な状態では赤味が強い）、これが腹面の皮膚を透かして確認できることがある。

また一部の栄養状態の良いヒョウモントカゲモドキは、前肢の付け根後方の皮下にわずかな膨らみをもつ。この膨らみは発達した脂肪体だともされるが、解剖の記録はなく、どのような物質かは明らかでない。ただし、この膨らみは栄養

ポピュラーな飼育動物として定着したヒョウモントカゲモドキには、専用の配合飼料も流通するようになった。しかしカロリーが高いものも少なくなく、肥満傾向を助長させる恐れもある。単食での飼育は避けた方がよい。

尾の大きく膨らんだヒョウモントカゲモドキ。肥満傾向の個体では尾だけでなく、肝臓に脂肪が付いているケースもある。

前肢の付け根に見られる膨らみ。脂肪によるものだと思われ、肥満傾向の1つの目安となる。

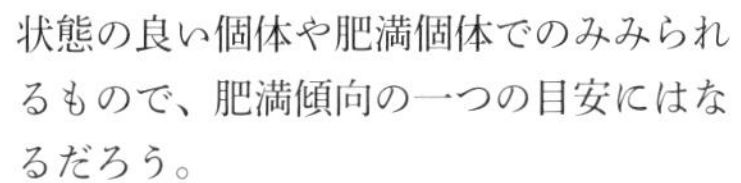

状態の良い個体や肥満個体でのみみられるもので、肥満傾向の一つの目安にはなるだろう。

同種の雄は発情中に食欲が極端に落ちる個体が多く、雌はクラッチ数が多く繁殖期に痩せがちなため（各クラッチの産卵の間に可能な限り給餌すべき）、繁殖前にあえて太らせるというブリーダーも少なくない。ただし、繁殖させる予定のない個体を極端に太らせるのは危険なことといえる。性成熟したヒョウモントカゲモドキの雌は健康な状態であれば容易に排卵が起こるが、極度の肥満状態では（受精が起きない場合の）卵胞の吸収や、無精卵の排泄がうまく行かず、深刻なトラブルへと発展することもある。おそらく、野生下ではそれほど肥満状態になることがなく、交尾ができていない状態で排卵が起こることは稀なのだと考えられる。

また最近では嗜好性が高い上、消化がよく、なおかつカロリーの高いヒョウモントカゲモドキ専用の配合飼料が普及している。こうした餌を成体に無尽蔵に与えると、肥満が急激に進む。太らせ過ぎれば急死にもつながる他、個体が何らかの事故で高所から落下するなどした場合、肝臓等の内臓が損傷し、深刻な状態へとつながることがもある。

トカゲ用の餌
サイズによる栄養価の変化

種（サイズ等）	カロリー（Kcal）	脂肪（g）
イエコオロギ		
幼虫	95	3.3
成虫	140	6.8
ミルワーム		
幼虫：小	206	13.4
幼虫：大	225	16.8
マウス		
新生仔：3g未満	93	3.2
幼体：3〜10g	121	5.5
ホッパー以上：10g超	172	7.7
ラット		
新生仔：10g未満	110	4.9
幼体：10〜50g	167	8.3
ホッパー以上：50g超	216	11.1
モルモット		
新生仔：雄	173	10.1
10週齢：雄	219	14.4
ニワトリ		
ヒヨコ孵化後1日	148	5.7
成体	139	12.3

*いずれも100g・あたりの数値

Column 3 コラム3

爬虫類の消化と排便「食べる」から「出す」まで

爬虫類の食性は植物食から動物食まで様々で、それに応じ消化管の形態や長さが異なる。植物食種は動物食種より長い消化管をもつ。植物細胞は細胞壁をもつことから、消化に時間がかかるのである。その細胞壁等の成分である不消化の食物繊維（セルロース等）を腸内細菌の作用で分解して栄養素を得るため、相対的に長い消化管をそなえ、ゆっくりと消化を行っていると考えられている。

ヘビ類は全種が動物食で直線的な消化管をもつが、餌は咀嚼せずに丸呑みする。ただし、例外的にブラーミニメクラヘビ*Indotyphlops braminus*等数種のメクラヘビ類では、シロアリ類を食べる時に頭部以外のみを食べるか、頭部を除いたあとに胸腹部の中身を吸うように食べることが知られている。

ヘビ類の消化能力は高く、丸呑みしたネズミ類を毛や骨まで消化することができる。その消化速度は、食物の種類や大きさ、ヘビの体温により大きく変動する。毛や羽毛に覆われた表皮や角質鱗が発達した表皮は消化されにくい。大型の動物を捕食した後のヘビ類は腹面が暖められる隠れ場所に移動し、そこでじっとして消化管内の獲物を数日、あるいはときに1週間以上もかけて消化する。

多くのヘビは給餌の１～数日後に排便を行ない、それが次の給餌の目安となる。しかし、地表棲のニシキヘビやボア類は、ある程度大腸内に糞をためて（体重の５～20%）から排便することが多い。糞をどの程度ためるかは種間差があり、大型種では時に摂餌から排便までの期間が数カ月から１年以上に及ぶことがある。なお、この糞便の溜め込みは、ヘビの捕食時に、体の後部の重しとなっているという説もある。

飼育個体が数カ月も糞をしなければ飼

メクラヘビの1種、*Afrotyphlops congestus*。メクラヘビの仲間はいずれもシロアリ、アリを主要な餌としており、丸呑みではなく頭を残して胴体だけを食べることがある

育者は便秘ではないかと不安になるが、ヘビが飲水し、食欲があるようなら問題ない。もし便秘なら排便しようとしていきんでいるのに、排便できない様子が観察される。こうした様子がなければ糞を溜め込んでいるものと考えてよいだろう。

キチンからなる外骨格の発達した節足動物を食べる種では、消化に時間がかかることがある。その消化には、キチン分解酵素（キチナーゼ）が関係している。爬虫類の産生するキチナーゼはキチンを単糖類まで分解する作用はないが、腸内細菌の作るキチナーゼと併せてクチクラの外骨格をばらばらにし、消化を助けている可能性がある。キチナーゼの酵素作用や腸内細菌の分裂、増殖は体温に影響を受け、高温になるほど効果が高まる。植物質に含まれるセルロースの分解酵素（セルラーゼ）も腸内細菌由来で、同様の性質がある。

飼育下で便秘や脱水が疑われるとすぐに温浴を行った上で給水し、排便させようとする飼育者がいるが、実際は必要のないことが多い。むしろ温浴による高頻度の排便は腸内細菌による発酵が中途半端になり、セルロースの分解やビタミンB群、ビタミンK等の合成が不充分となる。これにより、栄養失調や尿量が増えることによる腎臓の酷使等の問題が生じる可能性がある。

配合飼料の場合は、昆虫系の餌ではクチクラを、植物系の餌ではセルロース等を破壊してあり、圧倒的に消化がよいが腹持ちは悪く、排便は早くなる。また、カロリーが高いため、飼育個体が要求するだけ与えると過度の肥満の原因となりやすい。

feeding for Alligators & Crocodiles

ワニ類の餌やり

動物食に特化した水辺の優れた捕食者

現生では、すべての種が動物食であるワニ類。しかしかつては、植物食のワニもいた。また彼らは爬虫類の中で最も大きく、食べる餌の量も多い。野生下での餌を元に補食としての代用食を考える必要がある。

パラグアイカイマン*Caiman yacare*。野生下ではしばしば硬い鱗を持つヨロイナマズ（プレコ）も捕食する。ブラジル・パンタナールのクイヤバ川。

ワニは現生爬虫類の主要なグループの中ではムカシトカゲ目の次に種数が少ない。具体的には２科26種（亜種としたものを独立種と見なし約30種とする説もある）、分類としては爬虫綱双弓亜綱鱗主竜形下綱ワニ目に分類されている。ワニ類はすべて動物食の水陸両生種で、熱帯、亜熱帯の河川や湖沼、汽水、沿岸海域に生息し、幼体や小型種は他から捕食されることもあるが、大型種の成体は最上位の捕食者である（安川・栗山，2020）。

現生ワニ類は種数が少ないが、白亜紀には繁栄を遂げ、陸棲種や海棲種、植物食の種やプランクトンを濾過採食する種、超大型種等と適応放散した。しかし、現生のワニ類につながる系統以外は白亜紀末期までにそのほとんどが絶滅している。最後の１系統も始新世前期に絶滅した。

ワニ類の特徴は咬筋が発達していることで、咬む力が非常に強い。また、体温が上昇していれば陸上でも比較的素早く動くことができる他、遊泳力も高い。さらに長時間の潜水も可能で、種によっては集団で獲物を捕食するという行動を発達させている。

ワニ類の餌やり | 1 | **数の減少する最大級の爬虫類**

動愛法の改正で「愛玩飼育」は禁止に

ワニ類の流通は意外に古く、1970年代には一般向けに売られていた。その後、徐々に飼育法が確立されたが、動物愛護管理法改正で、2020年以降、愛玩動物としてのワニ類の(新たな)飼育はできない。

爬虫類ブームの最中ではペットショップにもワニ類が流通したが、終生飼育に至らず、下水道で捕獲されることも。天王寺動物園に預けられたメガネカイマン*Caiman crocodilus*、1990年。

1960年代後期から1970年代半ばの第一次爬虫類ブームの頃、日本国内には世界各地から様々なWC個体のワニ類が輸入されていた（販売開始は1963年頃）。それらは当初、動物園・水族館や爬虫類展等、展示用での輸入だったが、一部はペット市場にも流れた。

私も当時小学生だった1970年代半ば頃、爬虫類展に併設した販売場やデパートの屋上ペットコーナー、ペットショップや観賞魚店、祭りや縁日の夜店等でワニ類が販売されているのを何度か目撃した。圧倒的に多かったのは数百円～2000円程度で大量に販売されていたメガネカイマン*Caiman crocodilus*だったが、ごく少数ながら（種は覚えていないが）クロコダイル科やミシシッピアリゲーター*Alligator mississippiensis*がメガネカイマンの数倍の値段で、販売されていたのをおぼろげに記憶している。

この頃にはすでに、世界中で多くのワニ類が皮革採集用や食用目的で乱獲され、個体数の減少が深刻化していた。そして1975年発効のCITES（絶滅のおそれのある野生動植物の種の国際取引に関する条約）による国際的な商業的取引の規制が始められようとしていた。日本がその締結国となったのは1980年のことである。ワニ類は全種がCITESの附属書に掲載され、クロコダイル科は全種が附

ヨウスコウワニ*Alligator sinensis*は国内でも2001年に北海道·札幌円山動物園が初めて繁殖に成功している。

属書Iに掲載された。

私は1977年にパラグアイメガネカイマン*Caiman yacare*を入手し、2年ほど飼育した。当初ミルワームやメダカ、餌用金魚、ドジョウ、アメリカザリガニ、クロベンケイガニ等を与えていたが、後には鶏肉に犬用のカルシウム剤を付けたものを併せて与えていた。海産魚も与えてみたのだが、食べなかった。その時の飼育個体は60cm水槽で飼育し、水槽の保温には熱帯魚用のサーモスタット一体型のヒーターを使用していた。死亡時の全長は55cm程度で、筆者の記憶している限り顕著な奇形や成長異常は見られなかった。なおこの当時、ワニ類の飼育は未規制で、日本はまだCITES未締結国だった。

第一次爬虫類ブームの頃、爬虫類の餌に通年利用できる昆虫と言えば、ミルワームや釣り用のウジのみであった。この当時、昆虫食のトカゲはコンスタントな餌昆虫の入手が難しいことから飼育に向かないとされ、肉や魚に餌づくオオトカゲ類やワニ類、雑食の水ガメ、あるいは野菜や果実を食べるイグアナやリクガメがペットに向いているとされていた。ちなみに私の飼育していたワニはミルワームを好んだが、ウジは食べなかった。

1980年代末から1990年代半ばにかけての第二次爬虫類ブームで爬虫類の流通は格段に増えたが、人気の中心はトカゲやヘビであり、ワニの影はカメよりもさらに薄かった。すでに各自治体で危険な動物の飼育を規制するペット条例の制定が始まり、それによってワニは規制対象とされることが多かったことも影響していたのであろう。

このブームの終焉の頃には、爬虫類の餌や飼育器具事情は進み、ワニ類を飼育してみたいとも思ったが、アパート住

ヨウスコウワニは中国では切手にも使用されているポピュラーなワニ。

まいの大学院生だった私にとって、それは現実的な話ではなかった。

2005年の動物愛護管理法の改正以降は、各自治体によるペット条例は動物愛護管理法の特定動物としての規制に統一された。この時、ワニ類は全種が特定動物とされた。それ以前の自治体による条例規制は現実に即したものではなかった。例えば、飼育設備に要求される金網が日本工業規格（現在の日本産業規格、いわゆるJIS）にない等といったこともあった。

現在の動物愛護管理法の特定動物に、身体は大きいが性質の大人しいヘビであるボアコンストリクター*Boa constrictor*が入っていることを欧米の爬虫類飼育者に話すと冗談だと思われるほどだが、この当時のペット条例の中にはそれ以上に現実離れしたものもあった。ある条例ではボアまたはニシキヘビが全種危険動物とされていた一方で、クサリヘビ科とコブラ科以外の毒蛇（ナミヘビ科のブームスラング*Dispholidus typus*やヤマカガシ*Rhabdophis tigrinus*等）は申請なしに飼育ができた。その一方で、スナボア亜科を特定動物に指定する自治体もある等、基準はあいまいなものだった。

ヨウスコウワニ*Alligator sinensis*はCITES付属書I掲載種だったが、中国で大規模な人工繁殖に成功し、現在は食用にも利用されている。この種が2000年代に入ってから国内に少数だが輸入されるようになったのはワニ飼育の大きなトピックであろう。この種は最大で全長2m程度の小型のワニで、ワニ類にしては性質が穏やかで、過去にヒトを襲った記録はないとされ、飼育に向いた種である。他にも飼育施設で養殖されたシャムワニ*Crocodylus siamensis*やメガネカイマン等、数種のワニが流通していた。

近年は爬虫類の飼育器具が大幅に改善し、ワニ飼育に関しても利用可能な製品が増加している。生き餌に冷凍餌、乾燥餌を含めれば、様々な昆虫、甲殻類、巻貝、魚、ネズミ、その他の哺乳類等が餌として利用できる。

また、動物園や水族館、あるいは養殖場向けに開発されたワニ用の配合飼料も手に入れることは可能だ。飼育に関する情報も入手しやすくなり、充分に広い飼育場所と、飼育許可の基準を満たす飼育設備があれば、ワニ類の長期飼育もできる。

しかし、残念ながら動物愛護管理法改正で、2020年以降ワニ類を含む特定動物の愛玩動物としての飼育は禁止された。既に登録済の個体は飼育を継続できるが、新規の飼育申請はできなくなっている。

全体・部分餌を使い分け脂肪量を調整

餌の要求量が多いワニには運動量も必要になる。しかし、一般飼育者が大きなケージを用意することは難しい。健康維持には餌の工夫が不可欠である。

ワニ類は完全な動物食で、幼体のうちは昆虫や甲殻類、巻貝等の水棲の無脊椎動物の他、魚類や両生類等の小型の水棲脊椎動物を捕食している。小型種では成体になっても食性が大きく変わることはないが、中型や大型の種では水鳥やカメ等を含む大型の水棲脊椎動物、水場に接近した爬虫類や鳥類、哺乳類等まで捕食するようになる。

ワニ類の幼体には昆虫や水棲巻貝、甲殻類、小魚、ピンクマウス等、複数の餌を併用するのがよいだろう。孵化後間もないサイズの個体は、コオロギやデュビア等の生きた昆虫によく反応する傾向がある。これらに慣らすことで、生きた餌だけではなく、冷凍や乾燥餌にも餌付けることができる。

栄養的なバランスを考えると内臓や殻、骨等を含む全体餌を中心にした給餌とするのがよい。成長とともに、陸産動物に嗜好性を示す種に対してはウズラの雛やヒヨコ、マウスやラット等の脊椎動物の全体餌の割合を高めて必要がある。ただし、鳥類の雛は孵化直後に冷凍した場合、骨の化骨が不充分であり、ネズミ等に比べてカルシウムの含有量が少ないことは記憶しておく必要がある。孵化後しばらくの間、給餌した雛であれば、餌から得たカルシウムを元に化骨が進み、十分なカルシウム補給が期待できる。ただし、ワニ類の大型個体は摂餌量が膨大であり、餌の入取性を考えるとすべてを全体餌でまかなうことは難しい。ウサギや豚等、より大きな哺乳類も同様に入手

成鶏と若鶏による部位毎のカロリーと脂質

成鶏肉			若鶏肉		
種(サイズ等)	カロリー(Kcal)	脂質(g)	種(サイズ等)	カロリー(Kcal)	脂質(g)
皮付き胸	244	17.2	皮付き胸	145	5.9
皮なし胸	122	1.9	皮なし胸	116	1.9
皮付きもも	253	19.1	皮付きもも	204	14.2
皮なしもも	138	4.8	皮なしもも	127	5.0
ささみ	114	1.1	ささみ	109	0.8

鶏であれば全体餌として与えることが望ましいが、入手性を考えると、精肉で賄う必要があるだろう。

性がよいとはいえない。

そこで、鶏肉の肉片や骨付き肉等を与えることになる。これらは嗜好性も高いが、こうした部分餌は栄養の偏りが激しいというデメリットがある。また比較的バランスの優れた鶏の骨付き肉を与えるにしても、鶏の骨は縦に割れるように砕けるため、ワニの消化管等に刺さる危険性があることは承知しておきたい。その他、ブロイラーは皮や脂肪を取り除いても、筋肉部分に脂肪が多い。欧米では脂肪の少ないシチメンチョウの肉を好んで与える飼育者もいるが、栄養の偏りにつながり、避けるべきである。鶏を与える場合、嗜好性は落ちるものの、頭や骨付きの頸部分などは、割れた骨片が刺さりにくいのでよいだろう。

その他、入手には少し手間がかかるが、ワニ用の配合飼料を使用するのもよいだろう。アメリカ合衆国産のミシシッピアリゲーター用のペレットフード等を、インターネットの国際通信販売サイトで購入できる。個人での購入が困難な場合でも、ワニの購入店を経由して入手ができることがある。国内の飼育者の中にはワニ用の配合飼料を主食とし、補食として生き餌や冷凍餌を与えている人もいるようだ。

鶏肉のうち脂肪の少ない部分（180頁の表を参照）をミンチ状にし、必要な栄養素を含む食材を添加して、冷蔵や冷凍保存可能なタイプの自家製配合飼料を自作して与えているというワニ飼育者もいる。さらに幼体のワニには動物食の半水棲、水棲のカメ類用の配合飼料も使用できるだろう。また、動物食のオオトカゲ用のゲル状配合飼料等も陸上部分で給餌すれば使えるものと思われる。これらの餌は薬やサプリメントを混ぜて与える際に使うのがよいだろう。

ワニ類は鳥類同様、胃に砂利や小石を蓄える筋肉の発達した砂嚢（鶏の砂肝がこれに当たる）状の部分があ

古代の爬虫類、すなわち恐竜でも一部の種で「胃石」を利用していたことがわかっている。

る。発達した歯をもつワニだが、この歯は獲物を捕らえ、大きな獲物からその一部を齧りとる、あるいは甲殻類の殻や巻貝等を破砕する目的で使用され、咀嚼のためのものではない。従って餌動物は丸のみにされ、胃に送り込まれる。その後、砂嚢に蓄えた砂利や小石（胃石と呼ぶ）で胃の内容物をすりつぶして消化を助けている。

このような習性から、ワニ類の飼育ケージでは胃石として呑み込める砂利や小石をケージの水底に用意する必要がある。この砂利はあくまで胃石のためのものである。ケージの水底に砂利を敷くと、底に残餌や糞が溜って腐敗し、水質を悪化させる原因となるため避けた方がよい。胃石を摂取する行動については、胃に重い石や砂利を入れることで比重を増し、浮力調整のためともされる。

ワニ類はケージに満たした水により水分補給をする。そのため、飼育水の水質はできるだけきれいに保つ必要がある。

なおワニは新鮮な水を好んで飲み、水質が悪化した状態では拒食や、食欲の低下に繋がることもある。また水換えの直後に急に食欲が高まり、餌を食べ終わると同時に排泄し、結局もう1度換水することになるケースもある。ワニの排泄は陸上で行うケースは稀で、多くは水中で行われる。この時、排泄量が多ければ、いうまでもなく急激な水質の悪化へとつながる。こまめの換水を心がけることが重要である。

ワニ類は野生下でも日光浴を好み、健康な骨の成長のために紫外線を必要としている。この日光浴は体温調整や体温の上昇の他、消化管の活動を活発にすることにも関わっている。日中、陸場に紫外線を含む照明を照射するとともに、ホットスポットとして保温効果のある照明も設置する必要がある。

運動量を増やすためにはケージサイズを拡張させたいところだが、彼らは身体が大きいため、ケージの極端な改良は現実的とはいえない。そのため、肥満対策としては給餌量や給餌頻度の減少、餌への切り替え等、限定的なものとなる。

餌の質の変化について、ワニ類は完全な動物食であるため、カメのように植物質の給餌を与えることができないが、甲殻類や水棲巻貝は脂肪量が少なく、肥満傾向の飼育個体にはよい餌といえる。その他、肉類を与える際に皮や脂肪体など、脂肪分の多い箇所を取り除いで与えるという方法も効果がある。なお、海外から入手することができる配合飼料はカロリーが高いので与える量を控えたほうがよい。

運動量の少ない飼育下では、大型爬虫類は特に肥満化しやすく、給餌で飼育個体の健康を保持する必要がある。写真はインドネシアの「太ったワニ」として知られるイリエワニ*Crocodylus porosus*。体重は200kg、1日に1,500gの餌を与えているという。

ワニ類(主な種)の餌：その量と給餌頻度の目安

種名	餌の種類	1回の餌の量	給餌頻度
ヨウスコウワニ(全長30 cm)	昆虫、甲殻類、ピンクマウス	20～40 g	週2～3回
(全長120 cm)	巻貝、甲殻類、昆虫、ヒヨコ、ラット	400～600 g	週1回
メガネカイマン(全長30 cm)	昆虫、甲殻類、ピンクマウス	20～40 g	週2～3回
(全長120 cm)	魚、甲殻類、巻貝、昆虫、ヒヨコ、ラット	400～600 g	週1回
シャムワニ(全長200 cm)	魚、甲殻類、節足動物、ヒヨコ、ラット、鶏の頭頸	1000～2000 g	月2～3回

＊個体差もあるので一応の目安と考え。餌の種類、食欲や太り具合等を見て適宜増減させる。クーリング中や脱皮期間中は餌量や給餌頻度も減らす。

爬虫類のための主要栄養素含有量データベース *100g当たりの目安量

	エネルギー (kcal)	水分 (g)	タンパク質 (g)	アミノ酸組成によるタンパク質 (g)	脂質 (g)	炭水化物 (g)	食物繊維 (総量)(g)
野菜類							
アシタバ(茎葉:生)	33	88.6	3.3	測定値なし	0.1	6.7	5.6
枝豆(生)	135	71.7	11.7	10.0	6.2	8.8	5.0
豆苗(茎葉:生)	27	90.9	3.8	測定値なし	0.4	4.0	3.3
カブ(生)	22	92.2	2.3	2.0(推定値)	0.1	4.4	3.7
日本カボチャ(生)	49	86.7	1.6	1.1	0.1	10.9	2.8
カラシ菜(葉:生)	26	90.3	3.3	2.7	0.1	4.7	3.7
菊(花びら:生)	27	91.5	1.4	測定値なし	0	6.5	3.4
キャベツ(結球葉:生)	23	92.7	1.3	0.9	2.0	5.2	1.8
キュウリ(生)	14	95.4	1.0	0.7	0.1	3.0	1.1
クレソン(茎葉:生)	15	94.1	2.1	1.5(推定値)	0.1	2.5	2.5
小松菜(葉:生)	14	94.1	1.5	1.3	0.2	2.4	1.9
山東菜(葉:生)	14	94.7	1.0	0.8(推定値)	0.2	2.7	2.2
シソ(葉:生)	37	86.7	3.9	3.1	0.1	7.5	7.3
春菊(葉:生)	22	91.8	2.3	1.8	0.3	3.9	3.2
カイワレ大根(芽生え:生)	21	93.4	2.1	1.8(推定値)	0.5	3.3	1.9
葉大根(葉:生)	18	92.6	2.0	1.7(推定値)	0.2	3.3	2.6
大根(葉:生)	25	90.6	2.2	1.9	0.1	5.3	4.0
チコリ(若芽:生)	16	94.7	1.0	0.8(推定値)	ごく微量	3.9	1.1
青梗菜(葉:生)	9	90.6	0.6	0.7	0.1	2.0	1.2
ツルムラサキ(茎葉:生)	135	95.1	0.7	測定値なし	0.2	2.6	2.2
トウガラシ(葉・果実:生)	35	86.7	3.4	2.5(推定値)	0.1	7.2	5.7
トマト(生)	19	94.0	0.7	0.5	0.1	4.7	1.0
ナズナ(葉:生)	36	86.8	4.3	測定値なし	0.1	7.0	5.4
和種ナバナ(花らい・茎:生)	33	88.4	4.4	3.6(推定値)	0.2	5.8	4.2
葉ニンジン(葉:生)	18	93.5	1.1	測定値なし	0.2	3.7	2.7
ニンジン(皮付き:生)	39	89.1	0.7	0.5	0.2	9.3	2.8
野沢菜(葉:生)	16	94.0	0.9	0.8(推定値)	0.1	3.5	2.0
白菜(結球葉:生)	14	95.2	0.8	0.6	0.1	3.2	1.3
パクチョイ(葉:生)	15	94.0	1.6	測定値なし	0.2	2.7	1.8
バジル(葉:生)	24	91.5	2.0	1.2(推定値)	0.6	4.0	4.0
水菜(葉:生)	23	91.4	2.2	1.9(推定値)	0.1	4.8	3.0
モロヘイヤ(茎葉:生)	38	86.1	4.8	3.6(推定値)	0.5	6.3	5.9
ヨウサイ(茎葉:生)	17	93.0	2.2	測定値なし	0.1	3.1	3.1
レタス(土耕栽培・結球葉:生)	12	95.9	0.6	0.5	0.1	2.8	1.1
レタス(水耕栽培・結球葉:生)	14	95.3	0.8	0.6(推定値)	0.2	2.9	1.1
サラダ菜(葉:生)	14	94.9	1.0	0.8	0.2	2.7	1.8
リーフレタス(葉:生)	16	94.0	1.4	1.0(推定値)	0.1	3.3	1.9
サニーレタス(葉:生)	16	94.1	1.2	0.7(推定値)	0.2	3.2	2.0
ミックスベジタブル(冷凍)	79	80.5	3.0	測定値なし	0.7	15.1	5.9(推定値)

＊香川(2020)より抜粋、改変した。

カルシウム (mg)	リン (mg)	鉄 (mg)	ビタミンA (レチノール活性当量) (μg)	ビタミンD (μg)	ビタミンB1 (mg)	ビタミンB2 (mg)	葉酸 (μg)	ビオチン (μg)	ビタミンC (mg)
65	65	1.0	440	ほぼ0	0.10	0.24	100	測定値なし	41
58	170	2.7	22	ほぼ0	0.31	0.15	320	11.1	27
34	61	1.0	340	ほぼ0	0.24	0.27	91	測定値なし	79
190	47	1.5	270	ほぼ0	0.02	0.05	66	測定値なし	47
20	42	0.5	60	ほぼ0	0.07	0.06	80	1.7	16
140	72	2.2	230	ほぼ0	0.12	0.27	310	測定値なし	64
22	28	0.7	6	ほぼ0	0.10	0.11	73	測定値なし	11
43	27	0.3	4	ほぼ0	0.04	0.03	78	1.6	41
26	36	0.3	28	ほぼ0	0.03	0.03	25	1.4	14
110	57	1.1	230	ほぼ0	0.10	0.20	150	4.0	26
170	45	2.8	260	ほぼ0	0.09	0.13	110	2.9	39
140	27	0.7	96	ほぼ0	0.03	0.07	130	測定値なし	35
230	70	1.7	880	ほぼ0	0.13	0.34	110	5.1	26
120	44	1.7	380	ほぼ0	0.10	0.16	190	3.5	19
54	61	0.5	160	ほぼ0	0.08	0.13	96	5.6	47
170	43	1.4	190	ほぼ0	0.07	0.15	130	測定値なし	49
260	52	3.1	330	ほぼ0	0.09	0.16	140	測定値なし	53
24	25	0.2	1	ほぼ0	0.06	0.02	41	1.1	2
100	27	1.1	170	ほぼ0	0.06	0.07	66	1.3	24
150	28	0.5	250	ほぼ0	0.03	0.07	78	測定値なし	41
490	65	2.2	430	ほぼ0	0.03	0.07	87	測定値なし	92
7	26	0.2	45	ほぼ0	0.08	0.28	22	2.3	15
290	92	2.4	430	ほぼ0	0.05	0.02	180	測定値なし	110
160	86	2.9	180	ほぼ0	0.16	0.27	340	12.2	130
92	52	0.9	140	ほぼ0	0.06	0.28	73	測定値なし	22
28	26	0.2	720	ほぼ0	0.07	0.28	21	測定値なし	64
130	40	0.6	100	ほぼ0	0.06	0.12	110	1.4	41
43	33	0.3	8	ほぼ0	0.03	0.06	61	1.4	19
100	39	0.8	150	ほぼ0	0.07	0.12	140	2.6	45
240	41	1.5	520	ほぼ0	0.08	0.19	69	測定値なし	16
210	64	2.1	110	ほぼ0	0.08	0.15	140	3.1	55
260	110	1.0	840	ほぼ0	0.18	0.42	250	13.6	65
74	44	1.5	360	ほぼ0	0.10	0.20	120	測定値なし	19
19	22	0.3	20	ほぼ0	0.05	0.03	73	1.2	5
34	30	0.3	59	ほぼ0	0.03	0.03	44	測定値なし	5
56	49	2.4	180	ほぼ0	0.06	0.13	71	測定値なし	14
58	41	1.0	200	ほぼ0	0.10	0.10	110	2.9	21
66	31	1.8	170	ほぼ0	0.10	0.10	120	測定値なし	17
19	71	0.7	320	ほぼ0	0.14	0.07	50	3.4	9

爬虫類のための主要栄養素含有量データベース *100g当たりの目安量

	エネルギー (kcal)	水分 (g)	タンパク質 (g)	アミノ酸組成によるタンパク質 (g)	脂質 (g)	炭水化物 (g)	食物繊維 (総量) (g)
果実類							
イチゴ	34	90.0	0.9	0.6	0.1	8.5	1.4
イチジク	54	84.6	0.6	0.4	0.1	14.3	1.9
カキ	60	83.1	0.4	0.3	0.2	15.9	1.6
温州みかん	46	86.9	0.7	0.4	0.1	12.0	1.0
キウイフルーツ	53	84.7	1.0	0.8	0.1	13.5	2.5
パイナップル	53	85.2	0.6	0.4	0.1	13.7	1.2
バナナ	86	75.4	1.1	0.7	0.1	22.5	1.1
りんご(皮むき)	57	84.1	0.1	0.1	0.2	15.5	1.4
きのこ類							
ブナシメジ	17	91.1	2.7	1.5	0.5	4.8	3.0
エリンギ	19	90.2	2.8	1.7	0.4	6.0	3.4
エノキ茸	22	88.6	2.7	1.5	0.2	7.6	3.9
キクラゲ(アラゲキクラゲ)	13	93.6	0.7	0.5	0.1	5.4	5.6
ヒラタケ	20	89.4	3.3	2.0	0.3	6.2	2.6
藻類							
粉寒天	165	16.7	16.7	0.1	0.3	81.7	79.0
魚介類							
イカナゴ	125	74.2	17.2	13.0	5.5	0.1	3.9
シラス	76	81.8	15.0	11.4	1.3	0.1	2.0
カジカ	111	76.4	15.0	12.4(推定値)	5.0	0.2	2.6
ドジョウ	79	79.1	16.1	13.2	1.2	ごく微量	7.2
ホンモロコ	113	75.1	17.5	測定値なし	4.1	0.1	4.7
ワカサギ	77	81.8	14.4	11.6	1.7	0.1	7.0
タイヘイヨウサケ(皮付き:生)	241	62.1	20.1	16.9	16.5	0.1	0
ベニザケ(生)	138	71.4	22.5	18.6	4.5	0.1	0
マサバ(生)	247	62.1	20.6	17.4	16.8	0.3	0
アサリ	30	90.3	6.0	4.5	0.3	0.4	5.8
イガイ	72	82.9	10.3	7.3	1.6	3.2	3.7
カキ	70	85.0	6.9	4.8	2.2	4.9	9.3
シジミ	64	86.0	7.5	5.7	1.4	4.5	3.5
タニシ	80	78.8	13.0	9.4(推定値)	1.1	3.6	3.2
甘エビ	98	78.2	19.8	14.9	1.5	0.1	2.7
オキアミ	94	78.5	15.0	10.0	3.2	0.2	4.0
肉類							
牛肉(ハツ)	142	74.8	16.5	13.4	7.6	0.5	6.3
成鶏ムネ肉(皮なし)	121	72.8	24.4	19.7(推定値)	1.9	0.1	3.1
成鶏モモ肉(皮なし)	138	72.3	15.0	18.5(推定値)	4.8	0.1	2.8
成鶏ササミ	114	73.2	16.1	測定値なし	1.1	0.2	2.9
鶏(スナギモ)	94	79.0	17.5	15.1	1.8	0.2	2.7
鶏卵(全卵・生)	151	76.1	14.4	10.6	10.3	0.1	3.3
鶏卵(卵黄・生)	387	48.2	6.9	13.5	33.5	0.2	3.2
鶏卵(卵白・生)	47	88.4	88.4	9.3	ごく微量	0.7	15.1
ゼラチン	344	11.3	87.6	84.0	0.3	0	0

*香川(2020)より抜粋、改変した。

カルシウム (mg)	リン (mg)	鉄 (mg)	ビタミンA (レチノール活性当量) (μg)	ビタミンD (μg)	ビタミンB1 (mg)	ビタミンB2 (mg)	葉酸 (μg)	ビオチン (μg)	ビタミンC (mg)
17	31	0.3	1	ほぼ0	0.03	0.02	90	0.8	62
26	16	0.3	1	ほぼ0	0.03	0.03	22	0.4	2
9	14	0.2	35	ほぼ0	0.03	0.02	18	2.0	70
21	15	0.2	84	ほぼ0	0.10	0.03	22	0.5	32
33	32	0.3	3	ほぼ0	0.01	0.02	36	1.4	69
11	9	0.2	230	ほぼ0	0.09	0.02	12	0.2	35
6	27	0.3	5	ほぼ0	0.05	0.04	26	1.4	16
3	12	0.1	1	ほぼ0	0.02	ごく微量	2	0.5	4
1	96	0.5	ほぼ0	0.5	0.15	0.17	29	8.7	0
ごく微量	89	0.3	ほぼ0	1.2	0.11	0.22	65	6.9	0
ごく微量	110	1.1	ほぼ0	0.9	0.24	0.17	75	10.6	0
10	16	0.1	ほぼ0	0.1	測定値なし	0.05	5	1.9	0
1	100	0.7	ほぼ0	0.3	0.40	0.40	92	12.0	0
120	39	7.3	ほぼ0	ほぼ0	0	ごく微量	1	0.1	0
500	530	2.5	200	21.0	0.19	0.81	29	測定値なし	1
210	340	0.4	110	6.7	0.02	0.07	56	測定値なし	5
520	400	2.8	180	3.0	0.07	0.38	15	測定値なし	1
1100	690	5.6	15	4.0	0.09	1.09	16	測定値なし	1
850	640	1.3	250	5.0	0.03	0.20	37	測定値なし	2
450	350	0.9	99	2.0	0.01	0.14	21	4.0	1
9	240	0.3	14	8.3	0.23	0.10	27	6.3	2
10	260	0.4	27	33.0	0.26	0.15	13	測定値なし	ごく微量
6	220	1.2	37	5.1	0.21	0.31	11	4.9	1
66	85	3.8	4	0	0.02	0.16	11	22.7	1
43	160	3.5	340	ほぼ0	0.03	0.37	42	6.4	5
84	100	2.1	24	0.1	0.01	0.14	39	3	3
240	120	8.3	330	0.2	0.02	0.44	26	測定値なし	2
1300	140	19.4	95	ほぼ0	0.11	0.32	28	測定値なし	ごく微量
50	240	0.1	3	ほぼ0	0.02	0.03	25	2.1	ごく微量
360	310	0.8	180	ほぼ0	0.15	0.26	49	測定値なし	2
5	170	3.3	9	0	0.42	0.90	16	測定値なし	4
5	150	0.4	50	0	0.06	0.10	5	測定値なし	1
9	150	2.1	17	0	0.10	0.31	7	測定値なし	1
8	200	0.6	9	0	0.09	0.12	7	測定値なし	ごく微量
7	140	2.5	4	0	0.06	0.26	36	測定値なし	5
51	180	1.8	150	1.8	0.06	0.43	43	25.4	0
150	570	6.0	480	5.9	0.21	0.52	140	65.0	0
6	11	0	0	0	0	0.39	0	7.8	0
16	7	0.7	0	0	0	0	2	0.4	0

餌動物（脊椎動物）の主要栄養素含有量データベース *100g当たりの目安量

	カロリー (kcal)	水分 (g)	タンパク質 (g)	脂質 (g)
哺乳類				
マウス				
新生仔：3g未満	93	80.9	12.3	3.2
幼体：3〜10g	121	81.8	8.0	5.5
ホッパー以上：10g超	172	67.3	18.2	7.7
ラット				
新生仔：10g未満	110	79.2	12.0	4.9
幼体：10〜50g	167	70.0	16.8	8.3
ホッパー以上：50g超	216	66.1	21.0	11.1
モルモット				
新生仔：雄	173	70.9	14.9	10.1
10週齢：雄	219	68.7	16.1	14.4
ハムスター				
幼体	181	69.7	15.1	10.1
ブタ				
幼体	167	71.1	9.6	3.4
カイウサギ				
新生仔	78	84.6	11.1	2.0
枝肉	139	73.8	17.1	4.1
皮付き内蔵抜き	164	68.7	19.8	6.3
鳥類				
ニワトリ				
ヒヨコ：孵化後1日	148	74.4	16.6	5.7
成体	139	67.5	13.7	12.3
ウズラ				
成体	235	65.4	24.7	11.0
爬虫類				
グリーンアノール				
成体	131	72.8	18.0	2.4
両生類				
ブロンズガエル				
成体	108	77.5	16.0	2.3

＊哺乳類、鳥類、爬虫類のデータはDierenfeld et al.（2002)を乾燥重量を湿重量に戻す等改変して作成。

餌昆虫の主要栄養素含有量データベース *100g当たりの目安量

	カロリー (kcal)	水分 (g)	タンパク質 (g)	脂質 (g)
イエコオロギ				
幼虫	95	77.1	15.4	3.3
成虫	140	69.2	20.5	6.8
フタホシコオロギ				
各サイズ混合	データなし	72.4	18.8	6.5
レッドローチ				
トルキスタンゴキブリ：各サイズ混合	160	69.1	19.0	10.0
デュビア				
各サイズ混合	176	62.6	23.5	8.0
ジャイアントミルワーム				
ツヤケシオオゴミムシダマシ：幼虫	242	57.9	19.7	17.7
ミルワーム				
チャイロコメノゴミムシダマシ：幼虫・小	206	61.9	18.7	13.4
チャイロコメノゴミムシダマシ：幼虫・大	225	61.0	18.4	16.8
チャイロコメノゴミムシダマシ：成虫	138	63.7	23.7	5.4
フェニックスワーム				
アメリカミズアブ：幼虫	199	61.2	17.5	14.0
ハニーワーム				
ハチノスツヅリガ：幼虫	275	58.5	14.1	24.9
カイコ				
カイコガ：幼虫	67	82.7	9.3	1.4

＊昆虫・無脊椎動物のデータはFinke(2002；2013), Kulma et al.（2016）, Young（2010）を改変して作成。
＊デュビアのリン含有量は不確実なデータの可能性もあり。

	灰分 (g)	カルシウム (mg)	リン (mg)	鉄 (mg)	ビタミンA(μg)
	2.9	223	データなし	3.5	204
	1.5	268	データなし	2.8	169
	3.9	974	562	4.5	5673
	4.1	385	データなし	5.7	133
	4.4	621	データなし	4.0	データなし
	2.3	888	502	5.0	1540
	4.1	データなし	データなし	データなし	データなし
	2.9	945	データなし	1.8	155
	2.2	761	615	7.2	データなし
	2.9	データなし	データなし	データなし	データなし
	2.3	データなし	データなし	データなし	データなし
	0.9	データなし	データなし	データなし	データなし
	5.0	データなし	データなし	データなし	データなし
	1.6	433	312	3.1	データなし
	3.1	722	455	3.9	データなし
	3.4	1187	データなし	2.6	730
	4.1	433	312	3.1	40
	データなし	965	421	2.3	169

	食物繊維	灰分 (g)	カルシウム (mg)	リン (mg)	鉄 (mg)	ビタミンA(μg)
	6.8	1.1	27.5	252	2.1	30未満
	10.0	1.1	40.7	295	1.9	30未満
	データなし	1.2	データなし	データなし	データなし	データなし
	5.0	1.2	38.5	176	1.5	30未満
	データなし	1.8	74.8	1758＊	データなし	データなし
	6.6	1.0	17.7	237	1.6	30未満
	8.2	0.9	16.9	285	2.1	30未満
	5.4	1.2	18.4	272	2.2	30未満
	18.9	1.2	23.1	277	2.2	30未満
	6.8	3.5	934	356	6.7	30未満
	11.5	0.6	17.7	237	1.6	30未満
	2.1	1.1	17.0	データなし	データなし	データなし

【写真提供者一覧】

● Alamy/ アフロ
大扉、p010 上・中・下, p012-013, p012 中, p013 中・下, p014-015, p014 上・下, p015 上・下, p016-017, p016 上・下, p017 全て, p018-019, p020-021, p018 下, p019 中・下, p022-023, p022 上・中・下, p023 上, p024-025, p024 下, p025 下, p026-027, p027 全て, p028, p030, p032, p049, p051, p056, p058 左下, p062 左上・右上・右下, p063, p064, p066, p071, p076 左上・右上, p080 左上, p082, p088 全て, p089 全て, p097 下, p098, p099, p101, p102, p103, p110, p114 右上・右下, p115, p117, p120 全て, p122 全て, p123 上・下, p128 全て, p131 上・下, p132, p136 全て, p137, p139, p141, p143 左・右, p144 左・右, p146 全て, p148-149, p154 左上・左下・右下, p155, p156 左上, p157, p158 全て, p160, p161, p162, p164, p166 全て、p168, p169, p170, p171 左・右, p172, p176, p179, p181

● All Canada Photos/ アフロ
p062 左下

● AGE FOTOSTOCK/ アフロ
p130

● Ardea/ アフロ
p182

● Biosphoto/ アフロ
p008-p009, p023 下, p112, p118, p167

● Bluegreen Pictures/ アフロ
p036 左, p058 右下, p075 左下, p077

● Caters News/ アフロ
p183

● Design Pics/ アフロ
P114 左下

● FLPA/ アフロ
P036 右

● GYRO PHOTOGRAPHY/ アフロ
P081

● imagebroker/ アフロ
p145, p147, p154 右上, p156 右上

● Interfoto/ アフロ
p156 右下

● Juniors Bildarchiv/ アフロ
p010-p011, P055 右下, P060 右, p140

● Kodansha/ アフロ
P035, p092

● Minden Pictures/ アフロ
p058 左上, p075 右下, p080 左下, p114 左上

● Nature in Stock/ アフロ
P055 左上, p080 右下

● Photoshot/ アフロ
p046-047, p095

● robertharding/ アフロ
p156 左下

● Science Photo Library/ アフロ
p037, p091, p097 上

● Science Source/ アフロ
p075 右上, p126-127

● UPI/ アフロ
p038

● WESTEND61/ アフロ
P055 右上

● ZUMA Press/ アフロ
p138

●アールクリエイション / アフロ
p021 下

●足立聡 / アフロ
p020 上

●アフロ
p014, p060 左, p072-073, p085, p090, p096

●石田義正 / アフロ
p019 上, p080 左下

●小野里隆夫 / アフロ
p022 上

●学研 / アフロ
p018 中, p075 左上

●クリエイティブ・BAN/ アフロ
p055 左下

●田中光常 / アフロ
p045

●深澤武 / アフロ
p013 下

●毎日新聞社 / アフロ
p142, p178

●ミノワスタジオ / アフロ
p021 中

●奴賀義治 / アフロ
p076 左下

●矢部志朗 / アフロ
p058 右上

●吉川信之 / アフロ
p020 下, p076 右下

●読売新聞 / アフロ
p093, p094, p177

●脇田一平 / アフロ
p021 上

●渡辺広史 / アフロ
p013 上, p034

【引用・参考文献】

Bartlett, R. D. and P. Bartlett. 2006a. Guide and Reference to the Snakes of Eastern and Central North America (North of Mexico). University Press of Florida, Florida.
Bartlett, R. D. and P. Bartlett. 2006b. Guide and Reference to the Crocodilians, Turtles, and Lizards of Eastern and Central North America (North of Mexico). University Press of Florida, Florida.
Broghammer, S. 2019. Python regius--Atlas of Color Morphs, Keeping and Breeding. NTV, Münster.
Chen, P. Z. 2010. An observation of crab predation by Gerard's water snake, *Gerarda prevostiana* (Reptilia: Squamata: Homalopsidae) in the wild at Sungei Buloh, Singapore. Nature in Singapore 3: 195--197.
ディヴィス, R.・ディヴィスV. 1998. Q & A マニュアル爬虫両生類飼育入門. みどり書房, 東京 (監訳：千石正一).
Dierenfeld, E. S., Alcorn, H.L. and K. L. Jacobsen. 2002. Nutrient Composition of Whole Vertebrate Prey (Excluding Fish) Fed in Zoos. Animal Welfare Information Center, Maryland.
海老沼剛. 2008. 爬虫類・両生類ビジュアル大図鑑 1000 種. 誠文堂新光社, 東京.
海老沼剛. 2012. 爬虫類両生類 1800 種図鑑. 三オブックス, 東京.
Ernst C. H., Altenburg, R. G. M., and R. W. Barbour. 2000. Turtles of the World (CD-ROM: Macintosh version 1.2). ETI BioInfromatics, Amsterdam.
Finke, M. D. 2002. Complete nutrient composition of commercially raised invertebrates used as food for insectivores. Zoo Biology 21: 269--285.
Finke, M. D. 2013. Complete nutrient content of four species of feeder insects. Zoo Biology 32(1): 27--36.
Finke, M. D. 2015. Complete nutrient content of four species of commercially available feeder insects fed enhanced diets during growth. Zoo Biology 34: 554--564.
Ghodke, S., Chandi, M., and V. Patankar. 2018. Yellow-banded mangrove snakes (*Cantoria violacea*) consume hard-shelled orange signaler crabs (*Metaplax elegans*). IRCF REPTILES & AMPHIBIANS. 25(1): 50--51.
Go!! Suzuki. 2014. ボールパイソン. 誠文堂新光社, 東京.
疋田努. 2002. 爬虫類の進化. 東京大学出版会, 東京

石附智津子.2017.レオパのトリセツ.クリーパー社,東京.
石附智津子. 2018. ボールパイソン完全飼育. 誠文堂新光社, 東京.
岩永敏彦・藤本和歌子. 2005. キチンとキチナーゼの研究. ミクロスコピア 22(33)：18--25.
Jayne, B. C. , Voris, H. K., and P. K. L. NG. 2018. How big is too big? Using crustacean-eating snakes (Homalopsidae) to test how anatomy and behaviour affect prey size and feeding performance. Biological Journal of the Linnean Society 123: 636--650.
香川明夫（監）. 2020. 七訂食品成分表 2020. 女子栄養大学, 東京.
Kulma, M., Plachy, V., Kourimska, L., Vrabec, V., Bubova, T., Adamkova, A., and B. Hucko. 2016. Nutritional value of three Blattodea species used as feed for animals. Journal of Animal and Feed Sciences 25: 354--360.
Go!! Suzuki. 2014. ボールパイソン. 誠文堂新光社, 東京.
Highfield, A.C. 1990. Keeping and Breeding Tortoise in Captivity. R & A Publishing, Avon.
ハイフィールド, A.C. 1996. 水棲・陸棲カメの飼育ガイドブック増補改訂版. 真菜書房, 東京.
川添宣広. 2010. 爬虫・両生類飼育ガイド ホシガメ. 誠文堂新光社, 東京.
小家山仁. 2008. 爬虫類の病気ハンドブック. アートヴィレッジ, 東京.
小家山仁. 2012. ヒョウモントカゲモドキの健康と病気. 誠文堂新光社, 東京.
小家山仁. 2008. カメの家庭医学百科 -- 飼育の基礎と病気. アートヴィレッジ, 東京.
長沢拓也(編著). 1996. 爬虫類・両生類 800 種図鑑. ピーシーズ. 東京. (監修：千石正一)
中井穂瑞領. 2020. ヘビ大図鑑 ボア・ニシキヘビ編. 誠文堂新光社, 東京.
Noonloy, T., Kunya, K., Chanhome, L., Sumontha, M., Chomngam, N., and O. S. G. Pauwels. 2018. Crab-ripping: an unusual feeding behavior newly recorded in freshwater snakes. Bulletin of the Chicago Herpetological Society 53(3): 53--56.
リリーホワイト,H.B. ヘビという生き方. 東海大学出版部, 神奈川.
大美賀隆. 2017. パルダリウムで楽しむヤドクガエル. エムピージェー, 神奈川.
大谷勉. 2009. 爬虫・両生類飼育ガイド ヘビ. 誠文堂新光社, 東京.
大谷勉. 2010. 日本の爬虫類・両生類飼育図鑑. 誠文堂新光社, 東京.
O'Shea, M. 2007. Boas and Pythons of the World. Princeton University Press, Princeton and Oxford.
オーシー, M.・T. ハリディー. 爬虫類と両生類の写真図鑑. 日本ヴォーグ社, 東京.
千石正一. 1991. 爬虫両生類飼育図鑑 --- カメ・トカゲ・イモリ・カエルの飼い方. マリン企画, 東京.
自然環境研究センター. 2019. 最新 日本の外来生物. 平凡社, 東京.
Tremper, R. Leopard Geckos: Next Generations. Privately Printed, Texas.
Vitt, L. J. and J. P. Caldwell. 2013. Herpetology: An Introductory Biology of Amphibians and Reptiles. 4th Edition. Academic Press, San Diego.
Wyneken, J., Godfrey, M.H., and V. Bels. (eds) 2008. Biology of Turtles. CRC Press, Boca Raton.
安川雄一郎・栗山武夫. 2020. 爬虫類. 田畑純他著. 鱗の博物誌. 172--237. グラフィック社, 東京.
Young, C. E. 2010. Proximate and mineral composition of selected whole invertebrates and nutritional effects of different diets on the field cricket, *Gryllus bimaculatus*. Nottingham Trent University.
吉田誠. 2009. リクガメの飼い方. マリン企画, 東京.

おわりに

2021年2月現在、昨年より世界的に猛威をふるった新型コロナウィルス禍はワクチン接種も始まり、収束に向かうことが大いに期待されている。私もこの1年、野外での仕事が激減し、沖縄県から外に出ることも減り、在宅での仕事ばかりという状態となった。

日本国内でも在宅ワーカーが増え、各地で外出を自粛せねばならぬ状況が続いている。爬虫類の飼育・繁殖の世界でも、イベントの縮小、延期や中止が相次いだ。一方で、在宅時の癒しを求めるために、愛玩動物の需要は増しているという。爬虫類飼育を愛玩動物飼育の枠に収めることに異論もあるが、動物愛護管理法の規定では、飼育される爬虫類、鳥類、哺乳類はすべて愛玩動物とされる。また、実際に新規飼育者や、再開者が増えているという話が聞こえて来るし、私の周囲にもそうした人が見られる。

2019年の動物愛護管理法の改正で、人に危害をもたらすおそれがあるとされる特定動物の愛玩動物としての新規飼育の道が閉ざされた。また通信販売だけでなく、登録を行った場所以外での爬虫類の販売が禁止になり、動物を販売するための第一種動物取扱業の開業、継続に一定の資格と実務経験が必要となる等、爬虫両生類の販売、流通には大きな変更があった。

私は動物取扱業の登録及び数年の実務経験があり、爬虫類やその飼育に一定の知識をもち、爬虫類の系統分類の研究で博士号を取得した在野の爬虫類研究者だが、現在の規程では爬虫類を販売する上では充分な教育を受けていない未資格者となってしまった。今後ブリーダーとして活動するためには、数カ月をかけて新たに資格をとらなくてはならない。これもコロナ禍で出来た空き時間の有効利用といえるのだろうか。

外出の自粛は感染予防には明らかに有効で、現代において空き時間の有効利用は重要な問題である。爬虫類の飼育者であれば、現在の飼育動物に対する知識を深め、あるいはそれを爬虫類学や動物学的関心へ広げて行くのは前向きな時間活用であろう。また、空き時間に飼育動物をじっくり観察し、普段は不在の時間の活動を知り、自分の飼育を見直し、改善するのも有益なことだ。そうした活動に本書が少しでも役立つことは筆者の喜びである。

最後に、筆者の昭和時代の思い出話に付き合い、記憶の掘り起こしに協力していただいた高田爬虫類研究所所長の大谷勉氏、クリーパー社の宇田川元雄氏、長年の悪友ZS氏、ワニ類に関し貴重なコメントをいただいた青木良輔氏、そして本書の執筆を筆者に提案し、遅筆な上に脱線しがちな筆者を本書の刊行まで導いてくれた担当編集者の坂田哲彦氏に心より感謝いたします。

●編著者プロフィール

安川雄一郎

昭和42年東京生まれ。京都大学理学部博士課程修了（動物学専攻）。現在は高田爬虫類研究所非常勤研究員。爬虫・両生類情報誌「クリーパー」執筆者兼編集委員。研究テーマは爬虫類の系統分類、進化、生態、保全、外来種問題、飼育・繁殖。現在はスジオオニオイガメ、ミスジハコガメ、キューバスライダー等のカメ類、ヒョウモントカゲモドキ、ボールパイソン等を飼育中。

爬虫類 長く健康に生きる餌やりガイド

2021年3月25日　　初版第1刷発行

編著者　安川 雄一郎
発行者　長瀬 聡
発行所　株式会社グラフィック社
〒102-0073
東京都千代田区九段北 1-14-17
TEL 03-3263-4318
FAX 03-3263-5297
郵便振替 00130-6-114345
http://www.graphicsha.co.jp/
印刷・製本　図書印刷株式会社

STAFF
ブックデザイン　宮川和夫
DTP　有限会社サイレック
図版制作・イラスト　LALA THE MANTIS
編　集　坂田哲彦（グラフィック社）

ISBN978-4-7661-3499-5 C0045